DEPOIS

DEPOIS

STEPHEN
KING

TRADUÇÃO
Regiane Winarski

3ª reimpressão

Grafia atualizada segundo o Acordo Ortográfico da Língua Portuguesa de 1990, que entrou em vigor no Brasil em 2009.

Título original
Later

Capa
Adaptada da capa original © 2021 by Paul Mann, ilustrada para a Hard Case Crime

Preparação
Manu Veloso

Revisão
Renata Lopes Del Nero
Marise Leal

Dados Internacionais de Catalogação na Publicação (CIP)
(Câmara Brasileira do Livro, SP, Brasil)

King, Stephen
Depois / Stephen King ; tradução Regiane Winarski. — 1ª ed. — Rio de Janeiro : Suma, 2021.

Título original: Later
ISBN 978-85-5651-112-6

1. Ficção de suspense 2. Ficção norte-americana I. Título.

20-52612 CDD-813

Índice para catálogo sistemático:
1. Ficção de suspense : Literatura norte-americana 813

Cibele Maria Dias – Bibliotecária – CRB-8/9427

[2022]

EDITORA SCHWARCZ S.A.
Praça Floriano, 19, sala 3001 — Cinelândia
20031-050 — Rio de Janeiro — RJ
Telefone: (21) 3993-7510
www.companhiadasletras.com.br
www.blogdacompanhia.com.br
facebook.com/editorasuma
instagram.com/editorasuma
twitter.com/editorasuma

Para Chris Lotts

Os amanhãs não são infinitos.

Michael Landon

Não gosto de começar pedindo desculpas — deve até haver uma regra contra isso, tipo nunca terminar uma frase com preposição —, mas, depois de ler as mais de trinta páginas que escrevi até agora, acho que preciso. É por causa de certa palavra que uso o tempo todo. Aprendi muitos palavrões com a minha mãe e os uso desde muito cedo (como vocês vão descobrir), mas essa palavra não é tão grande. A palavra é *depois*, tipo quando a gente diz "Depois eu descobri" e "Foi só depois que me dei conta". Sei que é repetitiva, mas não tive escolha, porque minha história começa quando eu ainda acreditava em Papai Noel e Fada do Dente (se bem que, mesmo aos seis anos, eu já tinha minhas dúvidas). Tenho vinte e dois anos agora, o que torna isso o depois, né? Acho que, quando eu estiver com mais de quarenta, sempre supondo que chegarei até lá, vou olhar para o que eu achei que entendia aos vinte e dois e perceber que tinha muita coisa que eu não entendia. Sempre tem um depois, agora sei disso. Pelo menos até morrermos. Aí, acho que tudo passa a ser *antes disso*.

Meu nome é Jamie Conklin, e uma vez eu desenhei um peru de Ação de Graças que achei que ficou do caralho. Depois, não muito depois, descobri que estava mais para feio pra caralho. Às vezes a verdade é uma merda mesmo.

Acho que essa história é de terror. Dá uma olhada.

1

Eu estava voltando da escola com a minha mãe. Ela estava segurando a minha mão. Na outra mão eu segurava firme meu desenho do peru, aquele que fazíamos no primeiro ano, na semana anterior ao Dia de Ação de Graças. Eu estava tão orgulhoso do meu que estava quase me achando o menino mais foda da escola. Para fazer o desenho, a gente apoiava a mão em um pedaço de papel-cartão e passava um giz de cera em volta. Isso formava a cauda e o corpo. Na hora da cabeça era cada um por si.

Mostrei meu desenho para a minha mãe e ela ficou tipo tá, tá, tá, tudo bem, que lindo, mas acho que ela nem olhou de verdade. Ela devia estar pensando em um dos livros que estava tentando vender. O que ela chamava de "explorar o produto". Minha mãe era agente literária, sabe. Na verdade, o agente literário era meu tio Harry, irmão dela, mas minha mãe tinha assumido o negócio dele um ano antes da época que estou contando aqui. É uma história longa e meio chata.

— Eu usei verde-floresta porque é minha cor favorita. Você sabia, né? — falei. Estávamos quase no nosso prédio. Ficava só a três quarteirões da escola.

Ela só ficou repetindo tá, tá, tá. E também disse:

— Vai brincar ou ver *Barney* ou *The Magic Schoolbus* quando a gente chegar em casa, moleque. Tenho um zilhão de ligações pra fazer.

Eu respondi com um tá, tá, tá e ganhei um cutucão e um sorriso. Eu adorava quando fazia minha mãe sorrir porque, mesmo aos seis anos, já sabia que ela levava o mundo muito a sério. Depois, descobri que uma parte do motivo era eu. Ela achava que podia estar criando um filho maluco.

O dia sobre o qual estou contando foi o dia em que ela teve certeza de que eu não era maluco, no fim das contas. Deve ter dado certo alívio, mas, ao mesmo tempo, também não.

— Não fala com ninguém sobre isso — ela me disse depois, no mesmo dia. — Só comigo. E talvez nem comigo, moleque. Está bem?

Eu falei que tudo bem. Quando se é pequeno e sua mãe diz isso, a gente diz que tudo bem para tudo. A não ser que ela diga que está na hora de dormir, claro. E que é para comer todos os brócolis.

Chegamos no prédio e o elevador ainda estava quebrado. Até dá para dizer que as coisas poderiam ter sido diferentes se estivesse funcionando, mas acho que não. Acho que as pessoas que dizem que a vida é feita das escolhas que fazemos e das estradas que tomamos estão falando merda. Porque, ora, tanto a escada quanto o elevador nos levariam ao terceiro andar. Quando o dedo errático do destino aponta para você, todas as estradas levam ao mesmo lugar. É o que eu acho. Posso mudar de ideia quando estiver mais velho, mas acho que não.

— Porra de elevador — disse minha mãe. E acrescentou: — Você não ouviu isso, moleque.

— Não ouvi o quê? — falei, o que me rendeu outro sorriso.

Foi o último sorriso dela naquela tarde, posso dizer. Perguntei se ela queria que eu carregasse sua bolsa, que estava com um manuscrito dentro, como sempre, naquele dia um bem grandão, que parecia ter umas quinhentas páginas (minha mãe sempre se sentava em um banco para ler enquanto esperava a saída da escola, quando o tempo estava bom). Ela disse:

— É uma proposta fofa, mas o que eu sempre digo?

— A gente tem que carregar os próprios fardos na vida — falei.

— Isso aí.

— É do Regis Thomas? — perguntei.

— Dele mesmo. O velho Regis, que paga nosso aluguel.

— É sobre Roanoke?

— E precisa perguntar, Jamie? — Isso me fez dar uma risadinha. *Tudo* que o velho Regis escrevia era sobre Roanoke. Esse era o fardo que ele carregava na vida.

Nós subimos a escada até o terceiro andar, onde havia dois outros apartamentos e o nosso no fim do corredor. O nosso era o mais chique. O sr. e a sra. Burkett estavam parados do lado de fora do 3A, e eu soube na mesma hora que tinha alguma coisa errada, porque o sr. Burkett estava fumando um cigarro, coisa que eu nunca o tinha visto fazer e que era ilegal no nosso prédio. Os olhos dele estavam vermelhos e o cabelo estava todo espetado. Eu sempre o chamava de senhor, mas na verdade ele era prof. Burkett e dava aula de uma coisa difícil na Universidade de Nova York. Era literatura inglesa e europeia, eu vim a descobrir depois. A sra. Burkett estava de camisola e de pés descalços. A camisola era bem fina. Vi quase todas as coisas dela através do tecido.

— Marty, o que houve? — perguntou minha mãe.

Antes que ele pudesse responder, mostrei meu peru a ele. Porque ele parecia triste e eu queria alegrá-lo, mas também porque estava morrendo de orgulho.

— Olha, sr. Burkett! Eu fiz um peru! Olha, sra. Burkett! — Levantei o desenho na frente do meu rosto porque não queria que ela achasse que eu estava olhando as coisas dela.

O sr. Burkett não prestou atenção. Acho que ele nem me ouviu.

— Thia, tenho uma notícia horrível. Mona morreu hoje de manhã.

Minha mãe largou a bolsa com o manuscrito entre os pés e cobriu a boca com a mão.

— Ah, não! Me diz que não é verdade!

Ele começou a chorar.

— Ela se levantou à noite e disse que queria um copo d'água. Voltei a dormir e ela estava no sofá de manhã com um edredom puxado até o queixo, e fui nas pontas dos pés até a cozinha pra fazer o café porque achei que o cheiro agradável a-a-acordaria... acordaria...

Ele desmoronou nessa hora. Minha mãe o abraçou, como fazia comigo quando eu me machucava, apesar de o sr. Burkett ter uns cem anos (setenta e quatro, descobri depois).

Foi nessa hora que a sra. Burkett falou comigo. Foi difícil ouvi-la, mas não tanto como alguns deles porque ela ainda era bem recente. Ela disse:

— Não existe peru verde, James.

— O meu é verde — falei.

Minha mãe ainda estava abraçando o sr. Burkett e o embalando. Eles não a ouviram porque não podiam e não me ouviram porque estavam fazendo coisas de adulto: o sr. Burkett balbuciando, minha mãe o consolando.

— Liguei para o dr. Allen e ele veio e disse que deve ter sido um desmame. — Isso foi o que eu achei que o sr. Burkett disse. Ele estava chorando tanto que era difícil entender. — Ele ligou pra funerária. Ela foi levada. Não sei o que vou fazer sem ela.

— Meu marido vai queimar o cabelo da sua mãe com o cigarro, se não tomar cuidado — disse a sra. Burkett.

E queimou mesmo. Senti o cheiro de cabelo queimado, um cheiro parecido com o de salão de beleza. Minha mãe foi educada e não falou nada, mas fez com que ele a soltasse e pegou o cigarro da mão dele e jogou no chão e pisou em cima. Achei uma grosseria jogar lixo no chão, mas não falei nada. Entendi que a situação era especial.

Eu também sabia que falar mais com a sra. Burkett o deixaria apavorado. Minha mãe também ficaria apavorada. Até uma criança pequena sabe certas coisas básicas, se não for ruim da cabeça. A gente tinha que dizer por favor, tinha que dizer obrigado, não podia balançar a bingola em público, não podia mastigar de boca aberta e não podia falar com gente morta parada ao lado de gente viva que estava começando a sentir a falta dessa pessoa morta. Só quero dizer, em minha defesa, que quando a vi eu não sabia que ela estava morta. Depois, passei a perceber a diferença melhor, mas na época eu ainda estava aprendendo. Era a camisola que estava transparente, não ela. Gente morta é igual a gente viva, só que sempre está usando a mesma roupa de quando morreu.

Enquanto isso, o sr. Burkett foi recontando a história toda. Ele contou para a minha mãe que se sentou no chão ao lado do sofá e ficou segurando a mão da esposa até o médico chegar e continuou até o agente funerário aparecer para levá-la embora. "Dar continuidade à passagem dela" foi como ele falou, coisa que não entendi até minha mãe explicar. E no começo achei que ele tinha dito agente voluntário, uma pessoa que foi lá para ajudar. O choro dele tinha diminuído, mas então aumentou de novo.

— Os anéis dela sumiram — disse ele em meio às lágrimas. — Tanto a aliança de casamento quanto o anel de noivado, aquele com o diamante grandão. Olhei na mesa de cabeceira do lado dela, onde ela deixa quando esfrega aquele creme fedido da artrite nas mãos...

— Fede mesmo — admitiu a sra. Burkett. — Lanolina é praticamente pasta de ovelha, mas ajuda muito.

Assenti para mostrar que entendia, mas não falei nada.

— ... e na pia do banheiro, porque ela às vezes deixa lá... Olhei *em toda parte*.

— Vão aparecer — disse minha mãe, a voz tranquilizadora, e agora que seu cabelo estava em segurança ela tomou o sr. Burkett nos braços de novo. — Vão aparecer, Marty, não se preocupe com isso.

— *Estou sentindo tanta falta dela! Já estou sentindo!*

A sra. Burkett balançou a mão na frente do rosto.

— Dou seis semanas pra ele convidar a Dolores Magowan pra almoçar.

O sr. Burkett estava balbuciando, e minha mãe estava fazendo o som tranquilizador que fazia comigo quando eu ralava o joelho e também fez naquela vez que tentei fazer uma xícara de chá para ela e virei água quente na mão. Muito barulho, em outras palavras, por isso eu me arrisquei, mas falando em voz baixa.

— Onde estão seus anéis, sra. Burkett? A senhora sabe?

Eles têm que falar a verdade quando estão mortos. Eu não sabia disso aos seis anos; só supus que todos os adultos falassem a verdade, vivos *ou* mortos. Claro que, na época, eu também acreditava que a Cachinhos Dourados era uma menina de verdade. Pode me chamar de burro, se quiser. Pelo menos eu não acreditava que os três ursos falavam.

— Na prateleira de cima do armário do corredor — disse ela. — Bem no fundo, atrás dos álbuns.

— Por que estão lá? — perguntei, e minha mãe me olhou de um jeito estranho. Para ela, eu estava falando com o espaço vazio da porta... se bem que, naquela época, ela já sabia que eu não era igual às outras crianças. Depois de uma coisa que aconteceu no Central Park, uma coisa que não foi legal (vou chegar nisso), eu a ouvi dizendo para um dos amigos editores pelo telefone que eu era "médium". Fiquei me cagando de medo, porque achei que ela estava falando que eu era médio e nunca ficaria grande.

— Não tenho a menor ideia — respondeu a sra. Burkett. — Acho que eu já estava tendo o derrame nessa hora. Meus pensamentos deviam estar se afogando em sangue.

Pensamentos se afogando em sangue. Nunca me esqueci disso.

Minha mãe perguntou ao sr. Burkett se ele queria ir tomar um chá (ou alguma coisa mais forte) no nosso apartamento, mas ele disse que não, que ia procurar de novo os anéis da esposa. Ela perguntou se ele queria que a gente levasse comida chinesa para ele, que era o que tínhamos planejado para o jantar, e ele disse que seria ótimo, obrigado, Thia.

Minha mãe disse "às ordens" (que ela dizia quase tanto quanto tá, tá, tá) e que levaríamos a comida para o apartamento dele por volta das seis, a não ser que ele quisesse comer com a gente no nosso, onde ele seria bem-vindo. Ele disse que não, que gostava de comer em casa, mas que gostaria que a gente comesse com ele. Só que ele disse *na nossa casa*, como se a sra. Burkett ainda estivesse viva. E ela não estava, apesar de estar ali.

— Até lá você já vai ter encontrado os anéis — disse minha mãe. Ela pegou minha mão. — Vem, Jamie. A gente vem ver o sr. Burkett depois, mas agora vamos deixar ele em paz.

— Não existe peru verde, Jamie, e isso aí nem parece um peru. Parece uma mancha com dedos saindo dela. Você não é nenhum Rembrandt — disse a sra. Burkett.

Gente morta tem que falar a verdade, e tudo bem quando você quer saber a resposta para uma pergunta, mas, como falei, a verdade é uma merda às vezes. Comecei a ficar com raiva dela, mas ela começou a chorar nessa hora e eu não consegui. Ela se virou para o sr. Burkett e falou:

— Quem vai tomar conta pra você não passar o cinto por cima do passador na parte de trás da calça agora? Dolores Magowan? Mais fácil um porco criar asas. — Ela deu um beijo na bochecha dele... ou deu um beijo *junto* à bochecha dele. Não deu para perceber direito. — Eu te amei, Marty. Ainda amo.

O sr. Burkett levantou a mão e esfregou o lugar onde os lábios dela tinham encostado, como se estivesse com coceira. Ele deve ter achado que foi isso.

2

Pois é. Eu vejo gente morta. Pelo que lembro, sempre vi. Mas não é como naquele filme com o Bruce Willis. Pode ser interessante, pode ser assustador às vezes (o cara do Central Park), pode ser um saco, mas em geral só *é*. Tipo ser canhoto ou saber tocar música clássica aos três anos de idade ou ter Alzheimer precoce, como aconteceu com o tio Harry quando ele tinha só quarenta e dois anos. Aos seis anos, quarenta e dois me parecia bem velho, mas mesmo na época eu entendi que era cedo para esquecer quem você é. Ou os nomes das coisas; por algum motivo, isso era o que mais me assustava quando a gente ia ver o tio Harry. Os pensamentos dele não se afogaram em sangue por causa de uma artéria arrebentada no cérebro, mas se afogaram do mesmo jeito.

Minha mãe e eu seguimos até o 3C e minha mãe abriu a porta. Isso demorou um tempo, porque a porta tem três trancas. Ela dizia que era o preço que se paga por viver com estilo. Nós tínhamos um apartamento de seis cômodos com vista para a avenida. Minha mãe chamava de Palácio na Park. Nós tínhamos uma faxineira que ia duas vezes por semana. Minha mãe tinha um Range Rover na garagem que ficava na Segunda Avenida, e às vezes nós íamos até a casa do tio Harry em Speonk. Graças a Regis Thomas e alguns outros escritores (mas quase sempre o velho Regis), nós morávamos bem. Não durou muito tempo, um desenvolvimento deprimente que vou discutir daqui a pouco. Quando penso no passado, às vezes acho que minha vida parecia um livro do Dickens, só que cheio de palavrões.

Minha mãe jogou a sacola do manuscrito e a bolsa no sofá e se sentou. O sofá fez um barulho de peido que sempre fazia a gente rir, mas não naquele dia.

— Puta que pariu — disse minha mãe, e levantou a mão em um gesto de pare. — Você...

— Eu não ouvi, pode deixar — falei.

— Que bom. Preciso de uma coleira de eletrochoque ou alguma outra coisa que apite toda vez que eu falar um palavrão perto de você. Assim eu aprenderia. — Ela projetou o lábio inferior e soprou a franja. — Tenho umas duzentas páginas do livro mais novo do Regis pra ler...

— Qual é o nome desse? — perguntei, já sabendo que o título teria a palavra *Roanoke*. Sempre tinha.

— *Donzela fantasma de Roanoke* — disse ela. — É um dos melhores dele, com muito se... muitos beijos e abraços.

Eu franzi o nariz.

— Foi mal, moleque, mas a mulherada ama corações ardentes e coxas quentes. — Ela olhou para a sacola com *Donzela fantasma de Roanoke* dentro, preso com os seis ou oito elásticos de sempre, sendo que um sempre arrebentava e fazia a minha mãe falar os melhores palavrões. Muitos deles eu ainda uso. — Agora, não estou com vontade de fazer nada, só de tomar uma taça de vinho. Talvez até uma garrafa inteira. Mona Burkett era uma pentelha de marca maior, pode ser até que ele fique melhor sem ela, mas agora ele está arrasado. Só espero que ele tenha parentes, porque não estou curtindo a ideia de ser a Consoladora de Plantão.

— Ela também amava ele — falei.

Minha mãe me olhou de um jeito estranho.

— É? Você acha?

— Eu sei. Ela disse uma coisa feia sobre meu peru, mas depois ela chorou e deu um beijo na bochecha dele.

— Você imaginou isso, James — disse ela, mas sem muito entusiasmo. Ela já sabia, tenho certeza de que sabia, mas os adultos têm dificuldade em acreditar, e vou dizer por quê. Quando eles descobrem quando crianças que o Papai Noel é mentira e que Cachinhos Dourados não é uma menina de verdade e que o Coelhinho da Páscoa é enganação (são só três exemplos, eu poderia dar mais), isso gera um complexo e eles param de acreditar em tudo que não conseguem ver.

— Não, eu não imaginei. Ela falou que eu nunca seria Rembrandt. Quem é esse?

— Um artista — disse ela, e soprou a franja de novo. Não sei por que ela não cortava logo a franja ou não usava o cabelo de um jeito diferente. Ela podia porque era muito bonita.

— Quando a gente for lá comer, não vai dizer nada para o sr. Burkett sobre o que você acha que viu.

— Não vou falar nada, mas ela tinha razão. Meu peru está uma merda. — Eu estava me sentindo mal por isso.

E acho que ficou evidente, porque ela abriu os braços.

— Vem cá, moleque.

Eu fui e a abracei.

— Seu peru é lindo. É o peru mais bonito que eu já vi. Vou pendurar na geladeira e vai ficar lá pra sempre.

Eu a abracei com o máximo de força que consegui e escondi o rosto no ombro dela, para poder sentir o perfume.

— Eu te amo, mãe.

— Eu também te amo, Jamie, um milhão de muitos. Agora vai brincar ou ver televisão. Preciso fazer umas ligações antes de pedir comida chinesa.

— Tá. — Fui na direção do meu quarto e parei. — Ela botou os anéis na prateleira de cima do armário do corredor, atrás de uns álbuns.

Minha mãe me olhou de boca aberta.

— Por que ela faria isso?

— Eu perguntei e ela disse que não sabia. Disse que nessa hora os pensamentos dela já estavam se afogando em sangue.

— Ah, meu Deus — sussurrou minha mãe e levou a mão ao pescoço.

— Você precisa pensar em um jeito de dizer isso pra ele quando estivermos comendo. Pra ele não se preocupar. Posso comer frango General Tso?

— Pode — disse ela. — E arroz integral, não branco.

— Tá, tá, tá — falei, e fui brincar com meus Legos. Eu estava fazendo um robô.

3

O apartamento dos Burkett era menor do que o nosso, mas era bonito. Depois do jantar, quando estávamos comendo biscoitos da sorte (o meu dizia *Uma pena na mão é melhor do que um pássaro no ar*, o que não faz sentido nenhum), minha mãe disse:

— Já procurou nos armários, Marty? Os anéis?

— Por que ela colocaria os anéis em um armário? — Foi uma pergunta bem sensata.

— Bom, se ela estava tendo um derrame, é possível que não estivesse pensando com clareza.

Estávamos comendo na mesinha redonda na cozinha. A sra. Burkett estava sentada em um dos banquinhos na frente da bancada e assentiu vigorosamente quando minha mãe falou isso.

— Pode ser que eu olhe — disse o sr. Burkett. Ele falou de uma forma meio vaga. — Agora, estou muito cansado e chateado.

— Olha o armário do quarto quando for lá — disse minha mãe. — Vou olhar o do corredor agora. Vai ser bom me alongar um pouco depois desse porco agridoce.

— Ela pensou nisso sozinha? Eu não sabia que ela era inteligente assim — comentou a sra. Burkett. Ela já estava ficando difícil de ouvir. Depois de um tempo, eu não conseguiria ouvir mais, só ver a boca se movendo, como se ela estivesse atrás de uma vidraça grossa. E, pouco depois disso, ela sumiria.

— Minha mãe é bem inteligente — falei.

— Nunca falei que não era — disse o sr. Burkett —, mas, se ela encontrar os anéis no armário do corredor de entrada, como meu chapéu.

Nesse momento, minha mãe falou:

— Bingo!

E apareceu com os anéis na palma da mão esticada. A aliança de casamento era bem comum, mas o anel de noivado era grande como um olho. Um baita diamante.

— Ah, meu Deus! — exclamou o sr. Burkett. — Como é possível...?

— Eu rezei pra São Longuinho — disse minha mãe, mas lançou um olhar rápido na minha direção. — "São Longuinho, São Longuinho, se eu encontrar os anéis dou três pulinhos!" Como você pode ver, deu certo.

Pensei em perguntar ao sr. Burkett se ele queria temperar o chapéu com sal e pimenta, mas não falei nada. Não era a hora certa para ser engraçadinho. Além do mais, é como minha mãe sempre diz: ninguém gosta de um espertinho.

4

O funeral foi três dias depois. Foi meu primeiro e foi interessante, mas não o que eu chamaria de divertido. Pelo menos minha mãe não precisou ser a Consoladora de Plantão. O sr. Burkett tinha uma irmã e um irmão para cuidarem disso. Eles eram velhos, mas não tão velhos quanto ele. O sr. Burkett chorou durante toda a cerimônia do funeral e a irmã não parou de entregar lenços de papel a ele. A bolsa dela parecia cheia de lenços. Eu estava surpreso que tivesse espaço para outras coisas.

Naquela noite, minha mãe e eu pedimos uma pizza da Domino's. Ela tomou vinho e eu tomei um Kool-Aid, como prêmio por ter me comportado no funeral. Quando chegamos no último pedaço de pizza, ela me perguntou se eu achava que a sra. Burkett estava lá.

— Estava. Ela se sentou na escada que levava ao lugar onde o pastor e os amigos dela falaram.

— O púlpito. Você... — Ela pegou a última fatia, olhou para ela, colocou de volta e olhou para mim. — Você conseguiu ver através dela?

— Tipo um fantasma de filme, você quer dizer?

— É. Acho que é isso que quero dizer.

— Não. Ela estava toda lá, mas ainda de camisola. Foi uma surpresa ver ela lá, porque ela morreu três dias atrás. Normalmente eles não duram tanto.

— Eles simplesmente desaparecem? — Parecia que ela estava tentando entender. Eu sabia que ela não gostava de falar sobre aquilo, mas fiquei feliz de estar falando. Foi um alívio.

— É.

— O que ela estava fazendo, Jamie?

— Só ficou sentada lá. Uma ou duas vezes, ela olhou para o caixão, mas ficou mais olhando para ele.

— Para o sr. Burkett. Marty.

— Isso. Ela disse uma coisa uma hora, mas não consegui ouvir. Pouco tempo depois que eles morrem, as vozes começam a ficar mais baixas, como quando a gente diminui o volume no rádio do carro. Depois de um tempo, não dá pra ouvir mais nada.

— E eles somem.

— É — falei. Tinha um caroço na minha garganta e bebi o resto do meu Kool-Aid para ver se passava. — Somem.

— Me ajuda a tirar tudo — disse ela. — Depois a gente pode ver um episódio de *Torchwood* se você quiser.

— Oba, legal! — Na minha opinião, *Torchwood* não era legal, mas poder ficar acordado uma hora depois da minha hora normal de dormir era muito legal.

— Tudo bem. Desde que você entenda que não vai virar hábito. Mas preciso dizer uma coisa primeiro e é uma coisa muito séria. Quero que você preste atenção. *Muita* atenção.

— Tudo bem.

Ela se apoiou em um joelho e nossos rostos ficaram mais ou menos na mesma altura. Ela me segurou pelos ombros, com delicadeza, mas o toque era firme.

— Nunca conta pra ninguém que você vê gente morta, James. *Nunca*.

— Ninguém ia acreditar mesmo. Você não acreditava.

— Eu acreditava em *alguma coisa*. Desde aquele dia no Central Park. Se lembra daquilo? — Ela soprou a franja de novo. — Claro que se lembra. Como poderia esquecer?

— Eu me lembro. — Só que queria não me lembrar.

Ela ainda estava apoiada em um joelho, me olhando.

— É o seguinte. As pessoas não acreditarem é uma coisa boa. Mas, um dia, alguém pode acreditar. E podem fazer um tipo ruim de fofoca, ou você pode acabar correndo perigo de verdade.

— Por quê?

— Tem um ditado antigo que diz que homens mortos não contam histórias, James. Só que eles *conseguem* falar com você, né? Homens *e* mulheres mortos. Você diz que eles têm que responder suas perguntas e dar respostas verdadeiras. Como se morrer fosse uma dose de tiopental sódico.

Eu não tinha a menor ideia do que era aquilo e ela devia ter visto no meu rosto, porque disse para eu esquecer aquilo e lembrar o que a sra. Burkett me disse quando perguntei sobre os anéis.

— O que que tem? — perguntei. Eu gostava de ficar perto da minha mãe, mas não gostava dela me olhando daquele jeito intenso.

— Aqueles anéis eram valiosos, principalmente o anel de noivado. As pessoas que morrem levam segredos, Jamie, e sempre tem alguém que quer saber esses segredos. Não quero te deixar com medo, mas às vezes é botando medo que se aprende a lição.

Assim como o homem no Central Park foi uma lição sobre tomar cuidado no trânsito e sempre usar capacete na bicicleta, pensei... mas não falei.

— Não vou falar sobre isso — falei.

— Nunca. Só comigo. Se você precisar.

— Tá bom.

— Que bom. Está entendido, então.

Ela se levantou e fomos até a sala ver televisão. Quando o programa acabou, eu escovei os dentes e fiz xixi e lavei as mãos. Minha mãe me botou na cama e me beijou e disse o que sempre dizia:

— Bons sonhos, durma com os anjos.

Na maioria das noites, essa era a última vez que eu a via até de manhã. Eu ouvia o tilintar do vidro quando ela se servia de uma segunda taça de vinho (ou terceira) e o volume do jazz era diminuído quando ela começava a ler um manuscrito. Só que acho que as mães devem ter um sentido a mais, porque, naquela noite, ela voltou para o meu quarto e se sentou na minha cama. Ou talvez ela tivesse me ouvido chorar, apesar de eu estar me esforçando ao máximo para chorar bem baixinho. Porque, como ela também sempre dizia, é melhor ser parte da solução do que parte do problema.

— O que houve, Jamie? — perguntou ela, afastando meu cabelo da testa. — Está pensando no funeral? Na presença da sra. Burkett lá?

— O que ia acontecer comigo se você morresse, mamãe? Eu ia ter que morar em uma casa de orfanato? — Porque eu não ia morar com o tio Harry nem fodendo.

— Claro que não — disse minha mãe, ainda com a mão no meu cabelo. — E conversar sobre isso é perda de tempo, Jamie, porque eu não vou morrer tão cedo. Tenho trinta e cinco anos e isso quer dizer que ainda tenho mais da metade da minha vida pela frente.

— E se você tiver o que o tio Harry teve e tiver que ir morar naquele lugar com ele? — As lágrimas estavam correndo pelo meu rosto. O carinho dela na minha testa me deixou melhor, mas também me fez chorar mais, sei lá por quê. — Aquele lugar fede. Tem cheiro de *xixi*!

— A chance de isso acontecer é tão pequena que, se você botasse ela do lado de uma formiga, a formiga ia parecer o Godzilla — disse ela. Aquilo fez com que eu sorrisse e me sentisse melhor. Agora que estou mais velho, sei que ela estava mentindo ou estava mal informada, mas o gene que deflagra o que o tio Harry teve, Alzheimer precoce, desviou dela, graças a Deus.

— Eu não vou morrer, *você* não vai morrer e acho que tem uma boa chance de essa sua habilidade peculiar sumir com a idade. E aí... tudo bem agora?

— Tudo.

— Chega de choro, Jamie. Só bons sonhos...

— E durma com os anjos — concluí.

— Tá, tá, tá. — Ela beijou minha testa e saiu. Deixando a porta um pouquinho aberta, como ela sempre fazia.

Eu não quis contar para ela que não foi o funeral que me fez chorar e nem a sra. Burkett, porque ela não era assustadora. A maioria deles não é. Mas o homem da bicicleta no Central Park me fez cagar de medo. Ele era *nojento*.

5

Estávamos na parte da 86th Street que atravessa o Central Park, indo para Wave Hill, no Bronx, onde ia ser a festa de aniversário de uma das minhas amigas da pré-escola. ("Isso que é mimar uma criança", disse minha mãe.) O presente que eu ia dar para a Lily estava no meu colo. Nós passamos por uma curva e vimos um monte de gente parada na rua. O acidente devia ter acabado de acontecer. Um homem estava deitado metade na rua e metade na calçada, com uma bicicleta toda retorcida do lado. Alguém tinha colocado uma jaqueta sobre a parte de cima do corpo dele. A parte de baixo estava com um short preto de ciclismo com listras vermelhas dos lados, uma joelheira e tênis todos manchados de sangue. Nas meias e nas pernas também. Dava para ouvir as sirenes se aproximando.

De pé ao lado dele estava o mesmo homem com o mesmo short de ciclismo e a mesma joelheira. Ele tinha cabelo branco, que estava sujo de sangue. O rosto estava afundado bem no meio, acho que no lugar que bateu no meio-fio. O nariz parecia estar em dois pedaços e a boca também.

Havia carros parando e minha mãe disse:

— Fecha os olhos.

Ela estava olhando para o homem deitado no chão, claro.

— Ele está morto! — Eu comecei a chorar. — Aquele homem está morto!

Nós paramos. Tivemos que parar. Por causa dos outros carros na nossa frente.

— Não está, não — disse minha mãe. — Está dormindo, só isso. É o que acontece às vezes quando alguém bate a cabeça com força. Ele vai ficar bem. Agora, fecha os olhos.

Eu não fechei. O homem de cara esmagada levantou a mão e acenou para mim. Eles sabem quando eu os vejo. Sempre sabem.

— O rosto dele está em *dois pedaços*!

Minha mãe olhou de novo para ter certeza, viu que o homem estava coberto até a cintura e disse:

— Para de ficar metendo medo em você mesmo, Jamie. Só fecha os...

— Ele está *ali*! — Eu apontei. Meu dedo estava tremendo. *Tudo* estava tremendo. — Bem *ali*, parado ao lado dele mesmo!

Isso botou medo nela. Percebi pelo jeito como ela apertou a boca. Ela meteu a mão na buzina. Com a outra, ela apertou o botão que abria a janela e começou a acenar para os carros na frente.

— *Anda!* — gritou ela. — *Sai daí! Para de olhar pra ele, pelo amor de Deus, isso aqui não é um filme, caralho!*

Todos andaram, menos o carro na frente dela. O cara estava com o corpo para fora da janela, tirando uma foto com o celular. Minha mãe se aproximou e bateu no para-lama dele. O cara mostrou o dedo do meio. Minha mãe deu ré e foi para a outra pista para contornar o carro. Eu queria também ter mostrado o dedo do meio para ele, mas estava apavorado demais.

Minha mãe quase bateu na viatura da polícia vindo na direção oposta e foi dirigindo até o outro lado do parque o mais rápido que conseguiu. Ela estava quase lá quando soltei o cinto de segurança. Minha mãe gritou para eu não fazer isso, mas fiz mesmo assim. Eu abri a janela, me ajoelhei no banco e vomitei toda a comida na lateral do carro. Não consegui segurar. Quando chegamos ao lado do Central Park West, minha mãe encostou o carro e limpou meu rosto com a manga da blusa. Ela talvez tenha usado a blusa de novo, mas, se usou, eu não lembro.

— Meu Deus, Jamie. Você está branco como papel.

— Não consegui segurar — falei. — Eu nunca vi ninguém assim. Tinha um *osso* saindo do na-nariz... — Eu vomitei de novo, mas consegui que quase tudo fosse parar na rua e não no nosso carro. Nem tinha tanta coisa assim.

Ela fez carinho no meu pescoço e ignorou a pessoa (talvez o homem que nos mostrou o dedo do meio) que buzinou e contornou nosso carro.

— Querido, isso é a sua imaginação. Ele estava coberto.

— Não o do chão, o que estava de pé do lado dele. Ele *deu tchau* pra mim.

Ela ficou me olhando por tanto tempo que pareceu que ia dizer alguma coisa, mas só prendeu meu cinto de segurança.

— Acho que a gente não devia ir à festa. O que você acha?

— Bom — falei. — Eu não gosto mesmo da Lily. Ela me belisca escondido na hora da historinha.

Nós fomos para casa. Minha mãe perguntou se eu aguentaria tomar uma xícara de chocolate quente e eu disse que sim. Nós tomamos o chocolate juntos na sala. Eu ainda estava com o presente da Lily. Era uma bonequinha com roupa de marinheira. Quando dei para ela na semana seguinte, em vez de me beliscar escondido, ela me deu um beijo na boca. Pegaram no meu pé por causa disso e nunca me incomodei.

Enquanto a gente estava tomando o chocolate quente (o dela talvez tivesse uma coisa a mais), minha mãe disse:

— Eu prometi pra mim mesma quando engravidei que nunca ia mentir para o meu filho, então lá vai. Sim, aquele cara devia estar mesmo morto. — Ela fez uma pausa. — Não, ele *estava* morto. Acho que nem um capacete teria salvado o cara, e não vi capacete nenhum.

Não, ele não estava de capacete. Porque, se estivesse usando quando bateram nele (foi um táxi, a gente acabou descobrindo), ele estaria usando quando parou de pé ao lado do corpo. Eles sempre estão usando o que estavam na hora que morreram.

— Mas você só imaginou que viu o rosto dele, querido. Não dava pra você ter visto. Ele foi coberto com uma jaqueta. Por uma pessoa muito gentil.

— Ele estava com uma camiseta com um farol desenhado — falei. E pensei em outra coisa. Era só um pouco bom, mas depois de uma coisa assim, acho que a gente aproveita o que pode. — Pelo menos ele era bem velho.

— Por que você diz isso? — Ela estava me olhando de um jeito estranho. Pensando bem, acho que foi nessa hora que ela começou a acreditar, pelo menos um pouco.

— O cabelo dele era branco. Menos as partes com sangue, né.

Eu comecei a chorar de novo. Minha mãe me abraçou e me embalou e peguei no sono com ela fazendo isso. Vou te dizer uma coisa, não tem nada como ter a mãe por perto quando a gente está pensando umas merdas que dão medo.

O *Times* era entregue na nossa porta. Minha mãe costumava ler à mesa de roupão durante o café da manhã, mas, no dia seguinte ao homem do Central Park, ela estava lendo um manuscrito. Quando o café da manhã acabou, ela mandou eu me vestir porque a gente talvez fosse dar um passeio de barco, então devia ser sábado. Lembro que pensei que era o primeiro fim de semana depois da morte do homem do Central Park. Isso tornou a história toda real de novo.

Eu fiz o que ela falou, mas primeiro fui até seu quarto enquanto ela estava no banho. O jornal estava na cama, aberto na página onde botam os mortos que são famosos a ponto de aparecerem no *Times*. O retrato do homem do Central Park estava lá. O nome dele era Robert Harrison. Aos quatro anos, eu já lia no nível de terceiro ano, minha mãe sentia muito orgulho disso, e não havia nenhuma palavra difícil na manchete, que foi a única coisa que eu li: CEO DA FUNDAÇÃO FAROL MORRE EM ACIDENTE DE TRÂNSITO.

Vi algumas pessoas mortas depois disso (aquele ditado que diz que na vida estamos na morte é mais verdadeiro do que a maioria das pessoas sabe) e às vezes falava alguma coisa para a minha mãe, mas em geral não falava, porque eu via que ela ficava chateada. Só quando a sra. Burkett morreu e minha mãe encontrou os anéis dela no armário foi que voltamos a falar disso.

Naquela noite, depois que ela saiu do meu quarto, eu pensei que não conseguiria dormir, que sonharia com o homem do Central Park com a cara aberta e os ossos para fora do nariz ou com a minha mãe no caixão, mas também sentada nos degraus do púlpito, onde só eu a veria. Mas, até onde consigo lembrar, eu não sonhei com nada. Acordei na manhã seguinte me sentindo bem, e minha mãe estava se sentindo bem, e nós brincamos como costumávamos brincar, e ela prendeu meu peru na geladeira e deu um beijo de batom no desenho, o que me fez rir, e ela me levou a pé para a escola, e a professora Tate falou sobre dinossauros, e a vida prosseguiu por dois anos do jeitinho bom de sempre. Até que tudo desmoronou, claro.

6

Quando minha mãe percebeu como as coisas estavam ruins, eu a ouvi falando no telefone com Anne Staley, sua amiga editora, sobre o tio Harry.

— Ele já era ruim da cabeça antes de ficar ruim da cabeça. Só percebi agora.

Aos seis anos eu não entenderia. Mas eu já tinha oito anos, quase nove, e entendi, ao menos um pouco. Ela estava falando sobre a confusão em que o irmão tinha se metido (e a levado junto) antes mesmo do Alzheimer precoce ter roubado o cérebro dele como um ladrão no meio da noite.

Eu concordei com ela, claro; ela era minha mãe e éramos nós contra o mundo, um time de dois. Eu odiei o tio Harry pela situação em que ele nos meteu. Só depois, quando eu tinha uns doze ou catorze anos, foi que percebi que minha mãe também tinha uma parte da culpa. Ela talvez tivesse conseguido sair enquanto ainda havia tempo, provavelmente conseguiria, mas não saiu. Como o tio Harry, que fundou a Agência Literária Conklin, ela sabia muito sobre livros, mas não o suficiente sobre dinheiro.

Ela até recebeu dois avisos. Um foi da amiga Liz Dutton. Liz era detetive da polícia de Nova York e grande fã da série Roanoke, do Regis Thomas. Minha mãe a conheceu em uma festa de lançamento de um dos livros e elas se deram bem. O que acabou não sendo muito bom. Vou chegar nessa parte, mas agora só vou dizer que Liz falou para a minha mãe que o Fundo Mackenzie era bom demais para ser verdade. Isso pode ter sido mais ou menos na época em que a sra. Burkett morreu, não tenho tanta certeza disso, mas sei que foi antes da crise de 2008, quando a economia virou de cabeça para baixo. Inclusive a nossa parte nela.

Tio Harry jogava raquetebol em um clube chique perto do Píer 90, onde ficam as lanchas bacanas. Um dos amigos com quem ele jogava era um produtor da Broadway, que contou para ele sobre o Fundo Mackenzie. O amigo chamou de licença para fabricar dinheiro, e tio Harry o levou a sério nisso. Por que não levaria? O amigo tinha produzido um zilhão de musicais que ficavam em cartaz na Broadway por um zilhão de anos, e também por todo o país, e a grana dos direitos autorais chovia. (Eu sabia exatamente o que eram direitos autorais, eu era filho de uma agente literária.)

Tio Harry deu uma olhada, conversou com um figurão que trabalhava no fundo (mas não com o próprio James Mackenzie, porque o tio Harry era só uma figurinha no grande esquema das coisas) e investiu um monte de dinheiro. O lucro foi tão bom que ele investiu mais. E mais. Quando ficou com Alzheimer — e ele foi morro abaixo muito rápido — minha mãe assumiu todas as contas, e não só ficou com o Fundo Mackenzie como também botou mais dinheiro lá.

Monty Grisham, o advogado que ajudava com os contratos na época, não só falou para ela não botar mais como falou para ela sair enquanto ainda estava lucrando. Esse foi o segundo aviso que ela recebeu, e logo depois de assumir a Agência Conklin. Ele também disse que, se uma coisa parecia boa demais para ser verdade, provavelmente era mesmo.

Estou contando tudo que descobri pelas migalhas, como a conversa que ouvi entre a minha mãe e a amiga editora. Sei que você entende e sei que você não precisa que eu diga que o Fundo Mackenzie era, na verdade, um grande esquema de pirâmide. A coisa funcionava assim: Mackenzie e seu grupinho de bandidos alegres recebiam muitos milhões e pagavam lucros de porcentagens altas enquanto levavam embora a maior parte da grana dos investimentos. Eles mantinham o esquema atraindo novos investidores, que ouviam que eram especiais porque só algumas pessoas seletas podiam participar do Fundo. As pessoas seletas, no fim das contas, eram milhares, desde produtores da Broadway a viúvas ricas que deixaram de ser ricas da noite para o dia.

Um esquema desses depende de os investidores estarem felizes com o lucro e não só de deixarem seus investimentos iniciais, mas de botarem mais dinheiro. Funcionou por um tempo, mas, quando a economia quebrou em 2008, quase todo mundo do Fundo pediu seu dinheiro de volta e o dinheiro não estava lá. Mackenzie era ladrão de galinhas em comparação a Bernard Madoff, o rei dos esquemas de pirâmide, mas botou o velho Bern para suar mesmo assim: depois de receber mais de vinte bilhões de dólares, ele só tinha nas contas do Mackenzie meros quinze milhões. Ele foi preso, uma coisa satisfatória, mas minha mãe às vezes dizia: "Sopa não é jantar e vingança não paga boleto".

— A gente tá bem, a gente tá bem — disse ela quando Mackenzie começou a aparecer em todos os canais de notícias e no *Times*. — Não se preocupa, Jamie. — Mas as olheiras no rosto dela diziam que *ela* estava bem preocupada, e tinha muitos motivos para estar mesmo.

Descobri mais coisas depois: minha mãe só tinha uns duzentos mil em bens nos quais podia botar as mãos, e isso incluía os seguros, dela e meu. O que ela tinha no contas a pagar você nem queira saber. Só lembre que nosso apartamento ficava na Park Avenue, o escritório da agência ficava na avenida Madison e o residencial geriátrico onde tio Harry vivia (sou capaz de ouvir minha mãe acrescentar "se é que podemos chamar aquilo de viver") ficava em Pound Ridge, que é tão caro quanto parece.

Fechar o escritório da Madison foi o primeiro passo da minha mãe. Depois disso, ela passou a trabalhar no Palácio na Park, ao menos por um tempo. Ela pagou uma parte do aluguel adiantado com o dinheiro dos seguros que mencionei, inclusive o do irmão, mas isso só duraria uns oito ou dez meses. Alugou a casa do tio Harry em Speonk. Vendeu o Range Rover ("A gente não precisa de carro na cidade, Jamie", disse ela) e várias primeiras edições de livro, inclusive uma autografada de Thomas Wolfe, do livro *Look Homeward, Angel*. Ela chorou por causa desse livro e disse que não recebeu nem metade do que valia, porque o mercado de livros raros também tinha descido pelo ralo, graças a vários vendedores tão desesperados por grana na mão quanto ela. Nosso quadro do Andrew Wyeth também foi. E todos os dias ela xingava James Mackenzie por ser ladrão, ganancioso, filho da puta, pau no cu e basicamente uma hemorroida ambulante. Às vezes, ela também xingava o tio Harry, dizendo que ele estaria morando atrás de uma caçamba de lixo até o fim do ano e que seria bem feito. E, para ser justo, mais para a frente ela xingou a si mesma por não ter ouvido Liz e Monty.

— Me sinto o gafanhoto que brincou o verão todo em vez de trabalhar — disse ela uma noite. Acho que de janeiro ou fevereiro de 2009. Àquela altura, a Liz dormia na nossa casa às vezes, mas não naquela noite. Acho que foi a primeira vez que reparei que havia fios brancos no cabelo ruivo lindo da minha mãe. Ou talvez eu lembre porque ela começou a chorar e foi a minha vez de consolá-la, apesar de eu ser só uma criança e não saber fazer isso.

Naquele verão, nós nos mudamos do Palácio na Park para um apartamento bem menor na Décima Avenida.

— Não é um buraco — disse minha mãe — e o preço é justo. — E também: — Me recuso a sair da cidade. Seria uma rendição. Eu começaria a perder clientes.

A agência se mudou com a gente, claro. O escritório era no que eu acho que seria meu quarto se as coisas não estivessem horríveis pra caralho. Meu quarto era uma alcova adjacente à cozinha. Era quente no verão e gelado no inverno, mas pelo menos o cheiro era bom. Acho que costumava ser a despensa.

Ela levou tio Harry para um residencial em Bayonne. Quanto menos for dito sobre aquele local, melhor. A única coisa boa dele, acho, era que o pobre tio Harry não sabia mesmo onde estava; ele teria mijado na calça do mesmo jeito se estivesse no Hilton de Beverly Hills.

Outras coisas de que me lembro de 2009 e 2010: minha mãe parou de ir ao salão fazer o cabelo. Parou de almoçar com as amigas e só almoçava com os clientes da agência se realmente precisasse (porque a conta sempre ficava na mão dela). Começou a comprar bem menos roupas e, quando comprava, era em pontas de estoque. E começou a beber mais vinho. Bem mais. Havia noites em que ela e a amiga Liz, a fã do Regis Thomas que também era detetive, que mencionei antes, enchiam a cara juntas. No dia seguinte, minha mãe acordava mal-humorada e rabugenta, andando pelo escritório de pijama. Às vezes, ela cantava: "*Crappy days are here again, the skies are fucking drear again*" — os dias ruins estão de volta, o céu está sombrio outra vez. Nesses dias, era um alívio ir para a escola. Escola *pública*, claro; meus dias de escola particular tinham acabado, graças a James Mackenzie.

Havia alguns raios de luz em meio às trevas. O mercado de livros raros podia estar descendo pelo ralo, mas as pessoas estavam lendo livros comuns de novo; romances para fugir da realidade e livros de autoajuda porque, vamos ser realistas, em 2009 e 2010 as pessoas precisavam se autoajudar. Minha mãe sempre foi leitora de mistério e estava construindo essa parte do estábulo da Conklin desde que assumiu a posição do tio Harry. Ela tinha uns dez ou doze autores de mistério. Não eram grandes campeões de vendas, mas os quinze por cento deles eram suficientes para pagar o aluguel e a energia da nossa casa nova.

Além disso, havia Jane Reynolds, uma bibliotecária da Carolina do Norte. O livro dela, um mistério chamado *Vermelho morto*, apareceu de repente, e minha mãe ficou louca pela história. Houve um leilão para decidir quem publicaria. Todas as editoras grandes participaram, e os direitos acabaram sendo vendidos por dois milhões de dólares. Trezentos mil dessa quantia eram nossos, e minha mãe começou a sorrir de novo.

— Vai demorar pra gente voltar pra Park Avenue — disse ela — e nós temos muito que melhorar até sairmos do buraco que o tio Harry cavou pra gente, mas acho que a gente consegue.

— Eu não quero mesmo voltar pra Park Avenue — falei. — Gosto daqui.

Ela sorriu e me abraçou.

— Você é meu amorzinho. — Ela esticou os braços, ainda me segurando, e me observou. — Que nem está mais tão *inho* assim. Sabe o que eu espero, moleque?

Eu balancei a cabeça.

— Que a Jane Reynolds vire uma escritora de um livro por ano. E que façam um filme do *Vermelho morto*. Mesmo que nenhuma das duas coisas aconteça, tem nosso fiel Regis Thomas e a Saga Roanoke. Ele é a joia da nossa coroa.

Só que *Vermelho morto* acabou sendo o último raio de sol antes da chegada da grande tempestade. O filme não foi feito e os editores que entraram no leilão do livro se enganaram, como acontece às vezes. O livro foi um fracasso, o que não nos afetou financeiramente (o dinheiro já tinha sido pago), mas outras coisas aconteceram, e os trezentos mil sumiram como poeira ao vento.

Primeiro, os sisos da minha mãe inflamaram. Ela teve que tirar todos. Isso foi ruim. Depois, o tio Harry, o problemático tio Harry, que ainda não tinha cinquenta anos, tropeçou no residencial geriátrico de Bayonne e fraturou o crânio. Isso foi bem pior.

Minha mãe conversou com o advogado que a ajudava com os contratos de livros (e cobrava um valor alto por esse trabalho). Ele recomendou outro advogado, especializado em processos de responsabilidade e negligência. O novo advogado disse que a gente tinha um bom caso, e talvez tivéssemos mesmo, mas, antes que o caso chegasse perto de um tribunal, o residencial de Bayonne decretou falência. A única pessoa que ganhou dinheiro com a situação foi o advogado trambiqueiro chique, que embolsou quase quarenta mil dólares.

— Essa gente que cobra por hora é uma merda — disse minha mãe uma noite, quando ela e Liz Dutton estavam no meio da segunda garrafa de vinho. Liz riu porque não eram dela os quarenta mil. Minha mãe riu porque estava altinha. Só eu não vi graça, porque não foi só a conta do advogado. A gente também tinha que pagar as contas médicas do tio Harry.

Pior de tudo, a Receita Federal veio atrás da minha mãe por causa de uns impostos que o tio Harry devia. Ele estava adiando o pagamento do outro tio, o Sam, para poder botar mais dinheiro no Fundo Mackenzie. Só sobrou Regis Thomas.

A joia da nossa coroa.

7

Agora, olha só isso.

Outono de 2009. Obama é o presidente e a economia está começando a melhorar aos poucos. Para nós, nem tanto. Estou no terceiro ano e a prof. Pierce me manda resolver os problemas com frações no quadro porque sou bom nessas porras. Eu já fazia porcentagem quando tinha sete anos — filho de agente literária, lembra. As crianças atrás de mim estão agitadas porque estamos naqueles dias estranhos de aulas entre o Dia de Ação de Graças e o Natal. O problema é fácil como passar manteiga derretida na torrada, e estou terminando quando o sr. Hernandez, o vice-diretor, coloca a cabeça na sala. Ele e a prof. Pierce conversam rapidinho em cochichos e a prof. Pierce me pede para ir para o corredor.

Minha mãe está esperando lá, pálida como um copo de leite. Leite *desnatado*. Meu primeiro pensamento é que o tio Harry, que agora tem uma placa de aço no crânio para proteger seu cérebro inútil, morreu. O que, de um jeito meio horrendo, seria uma coisa boa, porque diminuiria nossas despesas. Mas, quando pergunto, ela diz que o tio Harry, que naquela época estava morando em um residencial de terceira categoria em Piscataway (ele foi indo cada vez mais para o oeste, como um pioneiro arrombado com morte cerebral), está bem.

Minha mãe me leva pelo corredor e porta afora antes que eu possa fazer mais perguntas. Tem um Ford sedã com uma luz sinalizadora azul no painel estacionado junto ao meio-fio amarelo onde os pais deixam e buscam os filhos. Parada ao lado com uma jaqueta azul e NYPD no peito está Liz Dutton.

Minha mãe está me levando correndo para o carro, mas firmo os pés no chão e a faço parar.

— O que foi? — pergunto. — Me conta!

Não estou chorando, mas quase. As notícias ruins foram muitas desde que descobrimos sobre o Fundo Mackenzie, e acho que não aguento mais nenhuma, mas é o que ouço. Regis Thomas morreu.

A joia caiu da nossa coroa.

8

Preciso parar aqui e contar sobre Regis Thomas. Minha mãe costumava dizer que a maioria dos escritores é tão esquisita quanto um cocô que brilha no escuro, e o sr. Thomas era a maior prova disso.

A Saga Roanoke — era assim que ele a chamava — já tinha nove livros quando ele morreu, cada um grosso como um tijolo. "O velho Regis sempre serve porções bem generosas", minha mãe disse uma vez. Quando eu tinha oito anos, peguei escondido em uma das prateleiras do escritório um exemplar do primeiro, *Pântano da Morte de Roanoke*, e li. Não tive problema nenhum com isso. Eu era tão bom em leitura quanto em matemática e ver gente morta (não é tirar onda se é verdade). Além do mais, *Pântano da Morte* não era exatamente um *Finnegans Wake*.

Não estou dizendo que era mal escrito, não é isso; o cara sabia contar uma história. Tinha muitas aventuras, muitas cenas assustadoras (principalmente no Pântano da Morte), uma busca por um tesouro enterrado e uma porção bem farta de S-E-X-O. Aprendi mais sobre o verdadeiro significado de sessenta e nove com aquele livro do que um garoto de oito anos deveria saber. E aprendi outra coisa, apesar de só ter feito a conexão consciente depois. Foi sobre todas as noites em que Liz, a amiga da minha mãe, dormia na nossa casa.

Eu diria que tinha uma cena de sexo a cada cinquenta páginas de *Pântano da Morte*, inclusive uma em uma árvore com jacarés famintos andando embaixo. Estamos falando de *Cinquenta tons de Roanoke* aqui. No começo da minha adolescência, Regis Thomas me ensinou a bater punheta, e se isso for informação demais para você, só lamento.

Os livros formavam uma saga, no sentido de que contavam uma história contínua com um elenco de personagens contínuos. Eram homens fortes com cabelo claro e olhos risonhos, homens indignos de confiança com olhos inquietos, indígenas nobres (que, nos livros finais, se tornaram nativos americanos nobres) e mulheres lindas com peitos firmes e empinados. Todo mundo — os bons, os maus e as peitudas — sentia tesão o tempo todo.

O coração da série, o que fazia os leitores voltarem (fora os duelos, assassinatos e o sexo, claro), era o segredo titânico que fez os colonos de

Roanoke desaparecerem. Foi culpa do George Threadhill, o vilão principal? Os colonos estavam mortos? Havia mesmo uma antiga cidade embaixo de Roanoke, cheia de sabedoria antiga? O que Martin Betancourt quis dizer quando afirmou que "O tempo é a chave" antes de falecer? O que a palavra enigmática, *croatoan*, encontrada gravada em uma paliçada da comunidade abandonada, realmente queria dizer? Milhões de leitores estavam doidos para saber as respostas àquelas perguntas. Se alguém do futuro distante tiver dificuldade de acreditar, eu diria para você pesquisar sobre Judith Krantz e Harold Robbins. Milhões de pessoas também liam as coisas dos dois.

Os personagens do Regis Thomas eram projeção clássica. Ou talvez eu queira dizer a realização de um desejo. Ele era um sujeitinho minúsculo e enrugado cuja foto de autor tinha que ser sempre retocada para fazer com que seu rosto se parecesse menos com uma bolsinha de couro de velha. Ele não ia a Nova York porque não podia. O cara que escrevia sobre homens destemidos desbravando o caminho em pântanos pestilentos, lutando em duelo e fazendo sexo atlético sob as estrelas era um solteirão agorafóbico que morava sozinho. Ele também era absurdamente paranoico (pelo que dizia a minha mãe) em relação ao seu trabalho. Ninguém via enquanto não estivesse pronto, e, depois que os dois primeiros volumes fizeram um sucesso estrondoso e ficaram no topo da lista de mais vendidos por meses, isso passou a incluir o copidesque. Ele insistia para que os livros fossem publicados do jeito que ele escrevia, palavra por palavra.

Ele não era um autor do tipo que produz um livro por ano (o El Dorado de um agente literário), mas era confiável; um livro com *Roanoke* no título aparecia a cada dois ou três anos. Os primeiros quatro foram na época do tio Harry, os cinco seguintes na da minha mãe. Isso incluiu *Donzela fantasma de Roanoke*, que Thomas anunciou que era o penúltimo. O último livro da série, prometeu ele, responderia a todas as perguntas que os leitores fiéis vinham fazendo desde as primeiras expedições ao Pântano da Morte. Também seria o livro mais longo da série, com umas setecentas páginas. (O que permitiria à editora aumentar um ou dois dólares no preço de venda.) E quando Roanoke e todos os seus mistérios encontrassem o merecido descanso, ele já tinha contado à minha mãe em uma das visitas dela à propriedade dele no norte do estado de Nova York, ele pretendia começar uma série de vários volumes voltada à história do *Mary Celeste*.

Tudo parecia ótimo, até que ele caiu morto em cima da escrivaninha só com umas trinta páginas da sua *magnum opus* completas. Ele tinha recebido incríveis três milhões de adiantamento, mas, sem livro, o adiantamento teria que ser devolvido, inclusive nossa parte. Só que nossa parte já tinha sido gasta ou estava comprometida. Era aí que eu entrava, como você deve ter imaginado.

Bom, vamos voltar para a história.

9

Quando nos aproximamos do veículo de passeio da polícia (eu sabia o que era, tinha visto muitas vezes parado na frente do nosso prédio com o papel que dizia POLICIAL DE SERVIÇO no painel), Liz puxou a jaqueta para o lado para mostrar o coldre de ombro vazio. Isso era uma espécie de piada entre nós. Nada de armas perto do meu filho, essa era a regra mais rigorosa da minha mãe. Liz sempre me mostrava o coldre vazio quando o estava usando, e eu já o tinha visto muitas vezes na mesa de centro da nossa sala. Também na mesa de cabeceira do lado da cama que a minha mãe não usava, e, aos nove anos, eu já tinha uma boa ideia do que isso significava. *Pântano da Morte de Roanoke* incluía umas cenas tórridas entre Laura Goodhugh e Purity Betancourt, a viúva de Martin Betancourt (pura é que ela não era).

— O que *ela* tá fazendo aqui? — perguntei à minha mãe quando chegamos no carro. Liz estava bem ali, e acho que foi falta de educação falar desse jeito, talvez até grosseria mesmo, mas eu tinha acabado de ser arrancado da aula e ouvido antes mesmo de chegar lá fora que nosso tíquete-alimentação tinha sido cancelado.

— Entra, campeão — disse Liz. Ela sempre me chamava de campeão. — O tempo está se esgotando.

— Não quero. A gente vai comer palitinho de peixe no almoço.

— Não mesmo — disse Liz. — A gente vai comer hambúrguer e batata frita. Eu pago.

— Entra — disse a minha mãe. — Por favor, Jamie.

Eu entrei no banco de trás. Tinha duas embalagens do Taco Bell no chão e um cheiro que podia ser de pipoca de micro-ondas. Tinha também outro cheiro, um cheiro que eu associava com as nossas visitas ao tio Harry nas várias residências dele, mas pelo menos não tinha grade de metal entre o banco de trás e o da frente, como eu já tinha visto em alguns programas policiais que a minha mãe via (ela gostava muito de *A escuta*).

Minha mãe se sentou na frente e Liz saiu dirigindo, mas parou no primeiro sinal vermelho e acendeu a luz azul no painel. Começou a girar, e, mesmo sem sirene, os carros saíram da frente e chegamos na Franklin Delano Roosevelt rapidinho.

Minha mãe se virou e olhou para mim entre os dois bancos com uma expressão que me assustou. Era uma expressão de desespero.

— Será que ele está em casa, Jamie? Sei que já levaram o corpo dele para o necrotério ou pra funerária, mas será que ele pode ainda estar lá?

A resposta a isso era que eu não sabia, mas não falei isso nem mais nada de primeira. Eu estava surpreso demais. E magoado. Acho até que com raiva, embora não tenha certeza, mas da surpresa e da dor eu me lembro muito bem. Ela tinha me dito para nunca contar para ninguém que eu via gente morta, e eu nunca contei mesmo, mas *ela* contou. Ela contou para a Liz. Era por isso que a Liz estava ali e logo começaria a usar a lâmpada do painel para abrir o tráfego na Sprain Brook Parkway.

Por fim perguntei:

— Há quanto tempo ela sabe?

Vi Liz piscar para mim pelo retrovisor, o tipo de piscadela que dizia *nós temos um segredo*. Não gostei. Éramos eu e minha mãe que tínhamos que ter um segredo.

Minha mãe esticou a mão por cima do banco e me segurou pelo pulso. A mão dela estava fria.

— Isso não importa, Jamie, só me diz se ele pode ainda estar lá.

— Acho que pode. Se foi lá que ele morreu.

Minha mãe me soltou e mandou Liz ir mais rápido, mas Liz balançou a cabeça.

— Não é uma boa ideia. A gente pode acabar chamando a atenção de uma escolta policial, e iam querer saber qual era o problema. Eu devo dizer que precisamos falar com um morto antes que ele desapareça?

Deu para perceber pela forma como ela falou que ela não acreditava em uma palavra que minha mãe tinha contado, que só estava querendo agradar. Dando corda. Por mim, tudo bem. Quanto à minha mãe, acho que ela não ligava para o que a Liz achava, desde que ela nos levasse a Croton-on-Hudson.

— O mais rápido que você puder, então.

— Entendido, Titi.

Eu nunca gostei desse apelido que ela usava com a minha mãe, era como algumas crianças da minha turma falavam quando queriam ir ao banheiro, mas minha mãe não parecia se importar. Naquele dia, ela não teria se importado nem se a Liz a chamasse de Penny Peitola. Acho que nem ia reparar.

— Algumas pessoas sabem guardar segredos e outras não — falei. Não consegui me segurar, então acho que eu estava com raiva, sim.

— Para — disse minha mãe. — Não dá pra você ficar emburrado agora.

— Eu não tô emburrado — falei, emburrado.

Eu sabia que ela e a Liz eram próximas, mas era para ela e eu sermos ainda mais. Ela podia ao menos ter me perguntado o que eu achava da ideia antes de contar nosso maior segredo em uma noite qualquer, na cama com a Liz, subindo no que Regis Thomas chamava de "escada da paixão".

— Eu sei que você está chateado, e pode até ficar puto comigo depois, mas agora eu preciso de você, moleque. — Parecia que ela tinha esquecido que a Liz estava ali, mas eu estava vendo os olhos da Liz pelo retrovisor e sabia que ela estava ouvindo cada palavra.

— Tudo bem. — Ela estava me deixando com um pouco de medo. — Relaxa, mãe.

Ela passou a mão pelo cabelo e puxou a franja para trás.

— Isso é tão injusto. Tudo que aconteceu com a gente… que ainda está acontecendo… tá foda pra caralho! — Ela bagunçou meu cabelo. — Você não ouviu isso.

— Ouvi, sim — falei. Porque eu ainda estava com raiva, mas ela estava certa. Lembra o que falei que minha vida parecia um livro do Dickens, só que com palavrões? Sabe por que as pessoas leem livros assim? Porque ficam felizes que esse monte de coisa foda pra caralho não está acontecendo com elas.

— Estou fazendo malabarismo com as contas há dois anos e nunca deixei nenhuma cair no chão. Algumas vezes, precisei deixar as menores de lado pra pagar as maiores, em outras vezes deixei as maiores de lado pra pagar várias menores, mas a luz nunca foi cortada e nunca ficamos sem comida no prato. Não é?

— Tá, tá, tá — falei, pensando que poderia fazer com que ela sorrisse. Mas não adiantou.

— Mas agora... — Ela deu outro puxão na franja, deixando meio embaraçada. — *Agora* tem umas seis datas de vencimento chegando ao mesmo tempo, com a Receita Infernal liderando o bando. Estou me afogando em um mar de tinta vermelha e esperava que Regis me salvasse. Aí o filho da puta vai e morre! Aos cinquenta e nove anos! Quem morre aos cinquenta e nove anos sem estar cem quilos acima do peso e sem usar drogas?

— Quem tem câncer? — falei.

Minha mãe soltou uma risada úmida e puxou a pobre franja.

— Calma, Thia — murmurou Liz. Ela botou a mão na lateral do pescoço da minha mãe, mas acho que a minha mãe não sentiu.

— O livro poderia nos salvar. O livro, o livro todo, só o livro. — Ela soltou uma gargalhada descontrolada que me assustou ainda mais. — Sei que ele só tinha escrito uns dois capítulos, mas mais ninguém sabe, porque ele não falava com ninguém além do meu irmão antes de o Harry ficar doente e agora com ninguém além de mim. Ele não fazia esboço nem anotações, Jamie, porque dizia que era como botar uma camisa de força no processo criativo. E também porque ele não precisava. Ele sempre sabia o caminho que ia seguir.

Ela segurou meu pulso de novo e apertou com tanta força que deixou marcas roxas. Só vi depois.

— Talvez ele *ainda* saiba.

10

Passamos pelo drive-thru do Burger King de Tarrytown e ganhei um hambúrguer, como me prometeram. Um milk-shake de chocolate também. Minha mãe não queria parar, mas Liz insistiu.

— Ele é um menino em fase de crescimento, Liz. Precisa comer, mesmo que você não queira.

Gostei mais dela por ter dito isso, e havia outras coisas que me faziam gostar dela, mas também havia coisas de que eu não gostava. Coisas grandes. Vou chegar nessa parte, vou ter que chegar, mas agora vamos só dizer que meus sentimentos por Elizabeth Dutton, detetive de segundo grau da Polícia de Nova York, eram complicados.

Ela disse uma coisa antes de chegarmos a Croton-on-Hudson que tenho que mencionar. Estava só jogando conversa fora, mas acabou sendo importante depois (eu sei, essa palavra de novo). Liz disse que Thumper tinha finalmente matado uma pessoa.

O homem que se chamava Thumper aparecia no noticiário local de vez em quando havia alguns anos, principalmente no NY1, que minha mãe via quase todas as noites enquanto preparava o jantar (e às vezes quando a gente estava comendo se o dia tivesse sido interessante para as notícias). O "reinado de terror" do Thumper — valeu, NY1 — tinha começado antes mesmo de eu nascer, e ele era uma espécie de lenda urbana. Sabe como é, tipo o Slender Man e o Homem do Gancho, só que com explosivos.

— Quem? — perguntei. — Quem ele matou?

— Quanto tempo ainda falta pra chegar? — perguntou minha mãe. Ela não tinha nenhum interesse no Thumper; já tinha um pepino enorme nas mãos.

— Um cara que cometeu o erro de tentar usar um dos últimos telefones públicos de Manhattan — disse Liz, ignorando minha mãe. — O esquadrão antibombas acha que explodiu na mesma hora que ele pegou o fone. Duas bananas de dinamite...

— A gente tem mesmo que falar sobre isso? — perguntou minha mãe. — E por que todos os malditos sinais estão *vermelhos*?

— Duas bananas de dinamite coladas debaixo da prateleirinha onde as pessoas colocam as moedas — prosseguiu Liz, inabalada. — O Thumper é um FDP criativo, isso a gente tem que admitir. Vão montar outra força-tarefa, a terceira desde 1996, e vou tentar entrar. Eu fui da última e acho que tenho chance, e a grana extra vai cair bem.

— O sinal ficou verde — disse minha mãe. — Vai.

Liz foi.

11

Eu ainda estava comendo as últimas batatas fritas (que já estavam frias, mas não me importei) quando entramos em uma ruazinha sem saída chamada Alameda dos Paralelepípedos. Talvez já tivesse sido de paralelepípedos, mas agora era de asfalto liso. A casa no final era o Chalé dos Paralelepípedos. Era uma casa grande de tijolos com janelas elegantes e musgo no telhado. Você me ouviu, musgo. Maluquice, né? Tinha um portão, mas estava aberto. Havia placas nas laterais do portão, que eram feitas da mesma pedra cinza da casa. Uma dizia PROIBIDA A ENTRADA, ESTAMOS CANSADOS DE ESCONDER OS CORPOS. A outra mostrava um pastor-alemão rosnando e dizia CUIDADO COM O CÃO FEROZ.

Liz parou e olhou para a minha mãe, as duas sobrancelhas erguidas.

— O único corpo que o Regis enterrou foi do papagaio de estimação, Francis — disse minha mãe. — Batizado em homenagem a Francis Drake, o explorador. E ele nunca teve cachorro.

— Por causa da alergia — falei no banco de trás.

Liz dirigiu até a casa, parou e desligou a luz azul no painel.

— A porta da garagem está fechada e não estou vendo nenhum carro. Quem está aqui?

— Ninguém — disse minha mãe. — A empregada o encontrou. A sra. Quayle. Davina. Ela e um jardineiro que trabalhava meio período eram os únicos funcionários. É uma boa mulher. Ela me ligou logo depois que chamou a ambulância. *Ambulância* me fez pensar se ela tinha mesmo certeza de que ele estava morto, e ela disse que tinha, porque trabalhou em uma clínica pra idosos antes de ir trabalhar para o Regis, mas ele tinha que ser levado para o hospital antes mesmo assim. Falei para ela ir pra casa assim que o corpo fosse retirado da casa. Ela estava bem nervosa. Perguntou sobre Frank Wilcox, o gerente de negócios do Regis, e falei que faria contato com ele. E vou mesmo, mas, na última vez que falei com o Regis, ele disse que o Frank e a esposa estavam na Grécia.

— E a imprensa? — perguntou Liz. — Ele era um escritor famoso.

— Meu Deus do céu, não sei. — Minha mãe olhou em volta como louca, como se esperando ver repórteres escondidos nos arbustos. — Não estou vendo nenhum.

— Talvez nem saibam ainda — disse Liz. — Se souberem, se ouviram no radioamador, eles vão atrás da polícia e do atendimento de emergência primeiro. O corpo não está aqui, então a história não está aqui. A gente tem tempo, calma.

— A falência está bufando no meu cangote, eu tenho um irmão que pode ter que viver em um asilo pelos próximos trinta anos e um filho que pode querer fazer faculdade um dia, então não me manda ficar calma. Jamie, você está vendo ele? Você sabe como ele é, né? Me diz que está vendo.

— Eu sei como ele é, mas não estou vendo ele — falei.

Minha mãe soltou um gemido e bateu com a base da mão na pobre franja embaraçada.

Fui levar a mão à maçaneta e, surpresa! Não tinha maçaneta. Pedi pra Liz me deixar sair e ela deixou. Nós todos saímos.

— Bate na porta — disse Liz. — Se ninguém atender, a gente dá a volta e levanta o Jamie, pra ele olhar pelas janelas.

A gente pôde fazer isso porque as janelas, com detalhes entalhados nelas todas, estavam abertas. Minha mãe correu para tentar a porta, e fiquei sozinho com a Liz por um momento.

— Você não acha mesmo que vê gente morta que nem aquele garoto do filme, né, campeão?

Eu não ligava se ela acreditava, mas teve alguma coisa no tom dela, como se tudo fosse uma grande piada, que me irritou.

— A minha mãe contou sobre os anéis da sra. Burkett, né?

Liz deu de ombros.

— Pode ter sido um palpite de sorte. Você por acaso não viu ninguém morto no caminho até aqui, viu?

Eu falei que não, mas é difícil saber se a gente não falar com eles... ou eles com a gente. Uma vez, quando minha mãe e eu estávamos no ônibus, eu vi uma garota que tinha cortado os pulsos tão fundo que pareciam pulseiras vermelhas, e eu tive certeza de que *ela* estava morta, apesar de ela não estar tão nojenta quanto o cara do Central Park. E naquele mesmo dia, quando saímos da cidade, vi uma senhora de roupão rosa parada na esquina da 8th Avenue. Quando o sinal abriu para os pedestres, ela ficou parada, olhando em volta como uma turista. Ela estava com aquelas coisas de enrolar o cabelo. Podia estar morta, mas também podia ser uma pessoa viva andando por aí, como a minha mãe dizia que o tio Harry fazia às vezes antes de ela o colocar no primeiro lar. Minha mãe me disse que, quando o tio Harry começou a fazer isso, às vezes de pijama, ela parou de achar que ele poderia melhorar.

— Quem é vidente dá sorte o tempo todo — disse Liz. — E tem um ditado antigo que diz que até um relógio parado acerta duas vezes por dia.

— Então você acha que a minha mãe está maluca e que estou ajudando na maluquice dela?

Ela riu.

— Isso se chama *facilitação*, campeão, e não, eu não acho isso. Acho que ela está chateada e se agarrando ao salva-vidas que encontrar. Sabe o que isso quer dizer?

— Sei. Que ela está maluca.

Liz balançou a cabeça de novo, com mais ênfase agora.

— Ela está passando por muito estresse. Eu entendo. Mas inventar coisas não vai ajudar. Espero que *você* entenda *isso*.

Minha mãe voltou.

— Ninguém atendeu e a porta está trancada. Eu tentei abrir.

— Tudo bem — disse Liz. — Vamos espiar pela janela.

Nós contornamos a casa. Deu para olhar pelas janelas da sala de jantar porque elas iam até o chão, mas eu era baixo demais para as outras. Liz fez pezinho para eu olhar nessas. Vi uma sala grande com uma televisão enorme e móveis caros. Vi uma sala de jantar com uma mesa comprida onde cabia todo o time do Mets e talvez até os arremessadores da reserva. Era bem estranho para um cara que odiava companhia. Vi uma sala que minha mãe chamou de salinha de visitas e atrás ficava a cozinha. O sr. Thomas não estava em nenhum desses lugares.

— Talvez ele esteja lá em cima. Eu nunca fui lá, mas, se ele morreu na cama... ou no banheiro... pode ser que ainda esteja...

— Duvido que ele tenha morrido no trono, como o Elvis, mas acho que é possível.

Isso me fez rir, chamar a privada de trono sempre me fazia rir, mas parei quando vi a cara da minha mãe. O assunto era sério e ela estava perdendo as esperanças. Havia uma porta na cozinha e ela tentou girar a maçaneta, mas estava trancada, como a porta da frente.

Ela se virou para Liz.

— Será que a gente pode...

— Nem pensar — disse Liz. — A gente não vai invadir a casa, Ti. Já tenho muitos problemas no departamento sem disparar o alarme da casa de um autor best-seller que acabou de morrer e tentar explicar o que estamos fazendo aqui quando os caras da empresa de segurança aparecerem. Ou a polícia local. E, falando em polícia... ele morreu sozinho, né? A empregada o encontrou?

— É, a sra. Quayle. Ela me ligou, eu falei...

— A polícia vai querer fazer umas perguntas a ela. Já devem estar fazendo isso agora mesmo. Ou talvez ao legista. Não sei como fazem as coisas no Condado de Westchester.

— Porque ele é famoso? Porque acham que alguém pode ter *assassinado* ele?

— Porque é rotina. E sim, porque ele é famoso, eu acho. A questão é que eu gostaria que a gente estivesse longe quando aparecerem.

Os ombros da minha mãe murcharam.

— Nada, Jamie? Nem sinal dele?

Eu balancei a cabeça.

Minha mãe suspirou e olhou para Liz.

— Será que a gente pode olhar a garagem?

Liz deu de ombros, como quem diz *a festa é sua*.

— Jamie? O que você acha?

Eu não conseguia imaginar por que o sr. Thomas estaria na garagem, mas achei que era possível. Talvez ele tivesse um carro favorito.

— Acho que a gente deve. Já que estamos aqui.

Nós começamos a andar para a garagem, mas eu parei. Havia um caminho de cascalho depois da piscina do sr. Thomas, que estava vazia. O caminho tinha árvores dos dois lados, mas, como estávamos no fim da estação e as folhas tinham caído quase todas, deu para ver uma construção verde. Eu apontei nessa direção.

— O que é aquilo?

Minha mãe bateu na testa de novo. Eu estava começando a ficar com medo de ela provocar um tumor cerebral ou algo do tipo.

— Ah, meu Deus, *La Petite Maison dans le Bois!* Por que não pensei em ir lá primeiro?

— O que é? — perguntei.

— O escritório! É onde ele escreve! Se ele estiver em algum lugar aqui, vai ser lá! Vamos!

Ela segurou minha mão e me puxou pela parte rasa da piscina, mas, quando chegamos ao começo do caminho de cascalho, eu firmei os pés e parei. Minha mãe continuou andando, e se Liz não tivesse segurado meu ombro acho que eu teria caído de cara no chão.

— Mãe? *Mãe!*

Ela se virou com expressão impaciente. Só que essa não é a palavra certa. Ela parecia quase maluca.

— Vem! Estou dizendo que, se ele estiver em algum lugar *aqui*, vai ser *lá*!

— Você precisa se acalmar, Thia — disse Liz. — A gente vai olhar o chalé de escrita dele e depois acho que a gente tem que ir.

— *Mãe!*

Minha mãe me ignorou. Ela estava começando a chorar, uma coisa que ela quase não fazia. Ela nem chorou quando soube o quanto o Imposto de Renda queria. Naquele dia, ela só socou a mesa e os xingou de filhos da mãe e sanguessugas, mas agora ela estava chorando.

— Pode ir se quiser, mas nós vamos ficar até Jamie ter certeza de que não rolou. Pode ser só um passeio divertido pra você, pra fazer a vontade da maluca...

— Isso não é justo!

— ... mas estamos falando da minha *vida*...

— Sei disso...

— ... e da vida do Jamie e...

— *MÃE!*

Uma das piores coisas de ser criança, acho que a pior de todas, é como os adultos te ignoram quando começam com as merdas deles.

— *MÃE! LIZ! AS DUAS! PAREM!*

Elas pararam. Elas me olharam. Lá estávamos nós, duas mulheres e um garotinho de moletom do New York Mets, do lado de uma piscina vazia em um dia nublado de novembro.

Apontei para o caminho de cascalho que levava à casa no bosque em que o sr. Thomas escrevia seus livros sobre Roanoke.

— Ele tá bem ali.

12

Ele veio andando na nossa direção e isso não me surpreendeu. A maioria deles, não todos, mas a maioria, sentem atração por gente viva por um tempo, como insetos se sentem atraídos por aquelas luzes que matam insetos. É um jeito horrível de dizer, mas só consigo pensar nisso. Eu saberia que ele estava morto mesmo que não *soubesse* que ele tinha morrido, isso por causa do que ele estava vestindo. O dia estava frio, mas ele estava com uma camiseta branca, um short largo e aquele tipo de sandália de tiras que minha mãe chama de sandália de Jesus. E tinha outra coisa, uma coisa estranha: uma faixa amarela com um laço azul preso nela.

Liz estava dizendo para a minha mãe que não tinha ninguém ali e que eu só estava fingindo, mas não prestei atenção. Eu me soltei da mão da minha mãe e andei na direção do sr. Thomas. Ele parou.

— Oi, sr. Thomas — falei. — Sou Jamie Conklin. O filho da Thia. A gente nunca se conheceu.

— Ah, para com isso — disse Liz atrás de mim.

— Fica quieta — disse minha mãe, mas uma parte do ceticismo da Liz devia ter passado para ela, porque ela me perguntou se eu tinha certeza que o sr. Thomas estava mesmo lá.

Também ignorei isso. Eu estava curioso para saber o que era a faixa que ele estava usando. Que estava usando quando morreu.

— Eu estava sentado à escrivaninha — disse ele. — Eu sempre uso a faixa quando escrevo. É meu amuleto da sorte.

— Pra que serve o laço azul?

— É da competição regional de soletrar que eu ganhei quando estava no sexto ano. Venci garotos de vinte outras escolas. Perdi a competição estadual, mas ganhei esse laço azul pela regional. Minha mãe fez a faixa e prendeu o laço nela.

Na minha opinião, eu achava que era uma coisa esquisita para ele ainda estar usando, porque o sexto ano do sr. Thomas devia ter sido um zilhão de anos antes, mas ele falou sem nenhum constrangimento e nenhuma vergonha. Algumas pessoas mortas conseguem sentir amor (lembra que contei que a sra. Burkett beijou a bochecha do sr. Burkett?) e conseguem sentir ódio (uma coisa que aprendi no devido tempo), mas a maior parte das outras emoções parece sumir quando elas morrem. Nem o amor me parecia tão forte. Não gosto de contar isto, mas o ódio fica mais forte e dura mais tempo. Acho que quando as pessoas veem fantasmas (e não gente morta), é porque eles estão cheios de ódio. As pessoas acham fantasmas assustadores porque eles *são*.

Eu me virei para minha mãe e para Liz.

— Mãe, você sabia que o sr. Thomas usa uma faixa quando escreve?

Ela arregalou os olhos.

— Isso saiu na entrevista da *Salon* com ele cinco ou seis anos atrás. Ele está usando agora?

— Está. Tem um laço azul. De quando...

— Ele ganhou a competição de soletrar! Na entrevista. Ele riu e chamou de "minha afetação boba".

— Pode ser — disse o sr. Thomas —, mas a maioria dos escritores tem afetações e superstições. Nós somos como jogadores de beisebol nesse sentido, Jimmy. E quem vai discutir com quem tem nove best-sellers do *New York Times*?

— Meu nome é Jamie — falei.

— Você contou ao campeão aqui sobre a entrevista, Ti. Deve ter contado. Ou ele mesmo leu. Ele lê muito bem. Ele sabia, foi só isso, e ele...

— *Cala a boca* — disse minha mãe em um tom bravo. Liz levantou as mãos, como quem se rende.

Minha mãe parou ao meu lado e olhou para o que para ela era só um caminho de cascalho sem ninguém nele. O sr. Thomas estava parado bem na frente dela com as mãos nos bolsos do short. Era um short largo e eu torci para ele não empurrar as mãos com força dentro dos bolsos, porque parecia que ele não estava de cueca.

— Diz pra ele o que eu pedi pra você dizer!

O que a minha mãe queria que eu contasse era que ele tinha que nos ajudar, senão o gelo financeiro fininho no qual a gente estava andando havia um ano ou mais ia quebrar e a gente ia se afogar em um mar de dívidas. E também que a agência tinha começado a perder clientes porque alguns escritores dela sabiam que a gente estava com problemas e talvez fosse obrigado a fechar. Ratos abandonando um navio afundando, foi assim que ela os chamou uma noite, quando a Liz não estava em casa e minha mãe estava na quarta taça de vinho.

Mas não dei bola para todo o blá-blá-blá. Gente morta tem que responder às perguntas que a gente faz, ao menos até desaparecer, e também tem que dizer a verdade. Então, fui direto ao ponto.

— A minha mãe quer saber qual é o assunto de *O segredo de Roanoke*. Ela quer saber a história toda. Você *sabe* a história toda, sr. Thomas?

— Claro. — Ele enfiou as mãos bem fundo nos bolsos e deu para ver uma linha fina de pelos descendo pelo meio da barriga, embaixo do umbigo. Eu não queria ver isso, mas vi. — Eu sempre tenho *tudo* antes de escrever *qualquer coisa*.

— E guarda tudo na cabeça?

— Eu tenho que guardar. Senão alguém pode roubar. Botar spoilers na internet. Estragar as surpresas.

Se ele estivesse vivo, isso poderia parecer paranoia. Estando morto, ele só estava declarando um fato, ou o que acreditava ser um fato. E, ei, eu achava que o que ele disse fazia sentido. Tinha trolls de computador espalhando coisas na rede o tempo todo, desde merda chata como segredos políticos a coisas realmente importantes, como o que ia acontecer no último episódio da temporada de *Fringe*.

Liz se afastou de mim e da minha mãe, se sentou em um dos bancos junto da piscina, cruzou as pernas e acendeu um cigarro. Parecia que ela tinha deixado os lunáticos cuidarem do hospício. Por mim, tudo bem. Liz tinha pontos positivos, mas, naquela manhã, ela estava só atrapalhando.

— Minha mãe quer que você me conte tudo — falei para o sr. Thomas. — Vou contar pra ela e ela vai escrever o último livro sobre Roanoke. Ela vai dizer que você mandou pra ela quase tudo antes de morrer, junto com anotações sobre como terminar os últimos capítulos.

Vivo, ele teria rido da ideia de outra pessoa terminar seus livros; o trabalho era a coisa mais importante de sua vida, e ele era muito possessivo. Mas agora o resto dele estava deitado em uma mesa de autópsia em algum lugar, com o short cáqui e a faixa amarela que estava usando ao escrever suas últimas frases. A versão dele que estava falando comigo não sentia mais ciúme dos segredos.

— Ela consegue fazer isso? — Foi tudo que ele perguntou.

Minha mãe garantiu a mim (e a Liz) no caminho até o Chalé dos Paralelepípedos que era perfeitamente capaz de fazer isso. Regis Thomas insistia que nenhum copidesque alterasse nenhuma das suas preciosas palavras, mas, na verdade, minha mãe copidescava os livros dele havia anos sem avisar, mesmo quando o tio Harry ainda estava com a cabeça boa e cuidando dos negócios. Algumas das mudanças eram bem grandes, mas ele nunca soube… ou pelo menos nunca disse nada. Se alguém no mundo era capaz de copiar o estilo do sr. Thomas, esse alguém era a minha mãe. Mas estilo não era o problema. O problema era a *história*.

— Ela consegue — falei, porque era mais simples do que contar tudo aquilo.

— Quem é aquela outra mulher? — perguntou o sr. Thomas, apontando para Liz.

— Aquela é a amiga da minha mãe. O nome dela é Liz Dutton. — Liz ergueu o rosto brevemente e acendeu outro cigarro.

— Ela e sua mãe estão trepando? — perguntou o sr. Thomas.

— Tenho quase certeza que sim.

— Foi o que eu achei. Por causa do jeito como elas se olham.

— O que ele disse? — perguntou minha mãe com ansiedade.

— Ele perguntou se você e Liz são amigas — falei. Foi meio bobo, mas foi a única coisa em que consegui pensar rapidamente. — Você vai nos contar sobre *O segredo de Roanoke*? — perguntei ao sr. Thomas. — Estou falando do livro todo, não só da parte secreta.

— Vou.

— Ele disse que vai contar — falei para a minha mãe, e ela tirou o celular e um gravadorzinho da bolsa. Ela não queria perder uma única palavra.

— Diz pra ele falar o máximo de detalhes que puder.

— Minha mãe falou…

— Eu ouvi — disse o sr. Thomas. — Estou morto, mas não fiquei surdo. — O short dele estava mais baixo do que nunca.

— Legal. Escuta, acho melhor você puxar o short, sr. Thomas, seu bilau vai ficar gelado.

Ele puxou o short, que ficou pendendo dos quadris ossudos.

— Está frio? Não estou sentindo. — E, sem mudança nenhuma no tom: — Thia está começando a parecer velha, Jimmy.

Não me dei ao trabalho de dizer de novo que meu nome era Jamie. Só olhei para a minha mãe e, Deus do céu, ela *parecia* velha. Ou estava começando, pelo menos. Quando foi que isso aconteceu?

— Conta a história — falei. — Começa do começo.

— Por onde mais eu poderia começar? — disse o sr. Thomas.

13

Levou uma hora e meia e, quando acabamos, eu estava exausto e acho que minha mãe também. O sr. Thomas estava igual a quando começamos, parado com aquela faixa amarela lamentável caindo por cima da pança e do short meio caído. Liz parou o carro no centro do portão aberto com a luz do painel ligada, o que deve ter sido uma coisa boa, porque a notícia da morte do sr. Thomas tinha começado a se espalhar e tinha gente aparecendo na porta para tirar fotos do Chalé dos Paralelepípedos. Uma vez, ela voltou para perguntar quanto tempo a gente ia demorar e minha mãe fez sinal para ela ir embora, mandou que ela fosse inspecionar o terreno ou qualquer outra coisa, mas, na maior parte do tempo, Liz resistiu.

Foi tão estressante quanto foi cansativo, porque nosso futuro dependia do livro do sr. Thomas. Não era justo eu ter que carregar o peso daquela responsabilidade, não aos nove anos, mas não havia escolha. Eu tinha que repetir tudo que o sr. Thomas dizia para a minha mãe, ou melhor, para os dispositivos de gravação da minha mãe, e o sr. Thomas tinha muita coisa a dizer. Quando ele me disse que conseguia guardar tudo na cabeça, ele não estava só se gabando. E minha mãe ficou fazendo perguntas, a maioria para esclarecer coisas. O sr. Thomas não pareceu se importar (não pareceu ligar, na verdade), mas o jeito como a minha mãe estava arrastando as coisas começou a me deixar meio puto. Além do mais, minha boca ficou seca demais. Quando a Liz levou para mim o resto dela da coca do Burger King, eu tomei os poucos goles e dei um abraço nela.

— Obrigado — falei, devolvendo o copo de papel. — Eu precisava disso.

— De nada.

Liz tinha parado de fazer cara de tédio. Agora, ela estava com cara pensativa. Ela não conseguia ver o sr. Thomas, e acho que ela não acreditava totalmente que ele estivesse ali, mas ela sabia que tinha *alguma coisa* acontecendo, porque ela tinha ouvido um garotinho de nove anos relatando um enredo complicado com uns seis personagens importantes e pelo menos uns vinte e poucos secundários. Ah, e um ménage (sob a influência da planta *Phalaris aquática* oferecida por um nativo americano gentil do Povo Nottoway) envolvendo Martin Betancourt, Purity Betancourt e Laura Goodhugh. Que acabou ficando grávida. A pobre Laura sempre se fodia mais que todo mundo.

No final do resumo do sr. Thomas, o grande segredo foi revelado e era uma coisa incrível. Não vou contar o que era. Leia o livro e descubra por sua conta. Se você já não leu, claro.

— Agora vou dizer a última frase — disse o sr. Thomas. Ele parecia tão vigoroso quanto antes... se bem que "vigoroso" talvez seja a palavra errada para se usar com uma pessoa morta. Mas a voz dele tinha começado a ficar mais baixa. Só um pouco. — Porque eu sempre escrevo isso primeiro. É o farol pra onde eu remo.

— Agora vem a última frase — avisei minha mãe.

— Graças a Deus — disse ela.

O sr. Thomas levantou um dedo, como um ator de antigamente se preparando para ler seu grande discurso.

— "Naquele dia, um sol vermelho se pôs no povoado deserto, e a palavra entalhada que intrigaria gerações ardeu como se delineada em sangue: CROATOAN." Diz pra ela que é *croatoan* em letras maiúsculas, Jimmy.

Eu falei para ela (apesar de não saber exatamente o que "delineada em sangue" queria dizer) e perguntei ao sr. Thomas se tínhamos acabado. Na hora que ele disse que sim, ouvi uma sirene rápida na frente da casa, dois sons longos e um curto.

— Ah, Deus — disse Liz, mas não com pânico na voz; foi mais como se ela estivesse esperando. — Lá vamos nós.

Ela estava com o distintivo preso no cinto e abriu a jaqueta para que ficasse visível. Em seguida, foi até a frente e voltou com dois policiais. Eles também estavam de jaquetas, mas com patches da Polícia do Condado de Westchester.

— Sebo nas canelas, é a polícia — disse o sr. Thomas, e não entendi nada. Depois, quando perguntei para a minha mãe, ela me disse que era uma gíria bem antiga.

— Esta é a sra. Conklin — disse Liz. — Ela é minha amiga e era agente do sr. Thomas. Ela me pediu pra vir aqui porque estava com medo de alguém se aproveitar pra roubar souvenirs.

— Ou manuscritos — acrescentou minha mãe. O gravadorzinho estava guardado na bolsa e o celular estava no bolso de trás da calça jeans. — Um em específico, o último livro de uma série que o sr. Thomas estava escrevendo.

Liz olhou para ela com uma expressão de *já chega*, mas minha mãe continuou.

— Ele tinha acabado de terminar, e milhões de pessoas vão querer ler. Achei que era meu dever garantir que elas tivessem essa oportunidade.

Os policiais não pareceram nada interessados; eles tinham ido olhar o lugar onde o sr. Thomas tinha morrido. E também fazer com que as pessoas vistas no local tivessem um bom motivo para estar lá.

— Acho que ele morreu no estúdio — disse minha mãe, e apontou para *La Petite Maison*.

— Aham — disse um dos policiais. — Foi o que nos disseram. A gente vai dar uma olhada. — Ele precisou se inclinar e apoiar as mãos nos joelhos para me olhar no rosto; eu era bem miudinho nessa época. — Qual é seu nome, meu filho?

— James Conklin. — Olhei diretamente para o sr. Thomas. — *Jamie*. Ela é a minha mãe. — Eu segurei a mão dela.

— Você está matando aula hoje, Jamie?

Antes que eu pudesse responder, minha mãe se intrometeu na maior tranquilidade.

— Eu sempre o busco na saída da escola, mas achei que não ia conseguir voltar a tempo hoje e a gente passou lá pra pegar ele. Não foi, Liz?

— Isso aí — disse Liz. — Policiais, nós não olhamos o estúdio e não sei dizer se está trancado ou não.

— A empregada deixou aberto com o corpo dentro — disse o que tinha falado comigo. — Mas me deu a chave dela e vamos trancar tudo depois de darmos uma olhada.

— Pode dizer a eles que ninguém fez nada comigo não — disse o sr. Thomas. — Eu tive um ataque cardíaco. Doeu pra cacete.

Eu não ia dizer nada disso. Eu só tinha nove anos, mas nem por isso era burro.

— Tem chave do portão também? — perguntou Liz. Ela estava toda profissional agora. — Porque estava aberto quando nós chegamos.

— Tem e nós vamos trancar quando formos embora — disse o segundo policial. — Foi uma boa ideia parar seu carro lá, detetive.

Liz abriu as mãos como quem dizia que era só mais um dia de trabalho.

— Se vocês estiverem prontos pra começar, nós não queremos atrapalhar.

O policial que falou comigo disse:

— Seria bom saber como é um manuscrito valioso, pra cuidarmos bem dele.

Essa era uma questão que a minha mãe podia resolver.

— Ele me mandou o original na semana passada em um pendrive. Acho que não tem outra cópia. Ele era bem paranoico.

— Era mesmo — admitiu o sr. Thomas. O short dele estava caindo de novo.

— Que bom que vocês estavam aqui pra ficar de olho — disse o segundo policial. Ele e o outro apertaram a mão da minha mãe e da Liz, e também a minha. Em seguida, seguiram pelo caminho de cascalho até a casinha verde onde o sr. Thomas morreu. Depois, descobri que muitos outros escritores morreram sentados em frente a uma escrivaninha. Deve ser uma ocupação de workaholics.

— Vamos nessa, campeão — disse Liz. Ela tentou segurar minha mão, mas não deixei.

— Vão ali pra perto da piscina um minuto — falei. — As duas.

— Por quê? — perguntou minha mãe.

Olhei para ela de um jeito que acho que nunca tinha olhado antes, como se ela fosse burra. E, naquele momento, eu achei que ela *estava* sendo burra. As duas estavam. Além de grosseiras pra caralho.

— Porque eu consegui o que você queria e preciso agradecer.

— Ah, meu Deus — disse minha mãe e bateu na testa de novo. — O que eu estava pensando? Obrigada, Regis. Muito obrigada.

Minha mãe estava direcionando o agradecimento a um canteiro de flores, então segurei o braço dela e a virei.

— Ele está ali, mãe.

Ela disse obrigada de novo e o sr. Thomas não respondeu. Ele não parecia se importar. Ela foi até onde Liz estava, perto da piscina vazia, acendendo outro cigarro.

Eu não precisava agradecer, já sabia que as pessoas mortas estão cagando para coisas assim, mas agradeci mesmo assim. Foi só educação, mas tinha outra coisa que eu queria.

— Sabe a amiga da minha mãe? — falei. — A Liz?

O sr. Thomas não respondeu, mas olhou para ela.

— Ela ainda acha que eu estou inventando que te vi. Ela sabe que aconteceu alguma coisa esquisita porque nenhuma criança poderia inventar aquela história toda. Aliás, adorei o que aconteceu com o George Threadgill...

— Obrigado. Ele merecia mesmo.

— Mas ela vai distorcer as coisas na cabeça dela pra que no final seja do jeito que ela quer.

— Ela vai racionalizar.

— Se é assim que se chama.

— É assim.

— Bom, tem algum jeito de você mostrar pra ela que está aqui? — Eu estava pensando em como o sr. Burkett coçou a bochecha quando a esposa o beijou.

— Não sei. Jimmy, você tem alguma ideia do que vai acontecer comigo agora?

— Desculpa, sr. Thomas. Não sei.

— Acho que vou ter que descobrir sozinho.

Ele andou até a piscina onde nunca mais nadaria. Alguém talvez a enchesse quando o tempo quente voltasse, mas ele já estaria longe até lá. Minha mãe e Liz estavam conversando baixo e dividindo o cigarro da Liz. Uma das coisas que eu não gostava na Liz era que ela tinha feito minha mãe voltar a fumar. Só um pouco e só com ela, mas mesmo assim.

O sr. Thomas parou na frente da Liz, inspirou fundo e soprou. A Liz não tinha franja e o cabelo estava todo preso em um rabo de cavalo apertado, mas ela apertou os olhos como se faz quando o vento sopra na cara e também se encolheu. Ela teria caído na piscina, acho, se minha mãe não a tivesse segurado.

— Sentiu isso? — perguntei. Era uma pergunta idiota, claro que ela tinha sentido. — Foi o sr. Thomas.

Que estava agora andando para longe de nós, na direção do escritório.

— Obrigado de novo, sr. Thomas! — gritei. Ele não se virou, mas levantou a mão para mim antes de a enfiar no bolso do short. Eu estava tendo uma visão excelente do cofrinho dele (era assim que minha mãe chamava quando via um cara de jeans caído) e, se isso for informação demais para você, só lamento. Nós conseguimos que ele nos contasse (em uma hora!) tudo que ele levou meses para inventar. Ele não podia dizer não, e talvez isso desse a ele o direito de nos mostrar a bunda.

Claro que só eu conseguia ver.

14

Está na hora de falar sobre Liz Dutton, então olha só. Olha só a dela.

Liz tinha menos de um metro e setenta, quase a mesma altura da minha mãe, com cabelo preto até os ombros (quando não estava preso no rabo de cavalo que a polícia aprovava) e tinha o que alguns dos garotos da minha turma de quarto ano chamariam (se tivessem ideia do que estavam falando) de "um corpão". Ela tinha um sorriso lindo e olhos cinzentos que costumavam ser calorosos. A não ser que ela estivesse com raiva, claro. Quando ela estava com raiva, os olhos cinzentos ficavam frios como um dia de chuva gelada no começo do inverno.

Eu gostava dela porque ela sabia ser gentil, tipo quando minha boca e minha garganta estavam secas e ela me deu o que tinha sobrado da coca do Burger King sem nem eu precisar pedir (minha mãe estava obcecada em pegar todos os detalhes do último livro ainda não escrito do sr. Thomas na hora). Além disso, ela às vezes levava um carrinho Matchbox para a minha coleção cada vez maior, e de vez em quando se sentava no chão ao meu lado e brincava comigo. Às vezes, ela me dava um abraço e bagunçava meu cabelo. Às vezes, fazia cócegas até eu gritar pedindo para ela parar ou eu ia acabar fazendo xixi na calça... o que ela chamava de "regar a cueca".

Eu *não* gostava dela porque às vezes, principalmente depois da nossa ida ao Chalé dos Paralelepípedos, eu olhava e a via me observando como se eu fosse um inseto em uma lâmina de microscópio. Não havia calor nos olhos cinzentos dela nesses momentos. Ou quando ela me dizia que meu quarto estava uma bagunça, o que em geral estava mesmo, embora minha mãe não parecesse se importar. "Nossa, até dói olhar", Liz dizia. Ou: "Você vai viver assim a vida toda, Jamie?". Ela também achava que eu era velho demais para ter uma luz noturna, mas minha mãe encerrou *essa* discussão dizendo "Deixa ele em paz, Liz. Ele vai parar quando estiver pronto".

Mas o pior? Ela roubava muito da atenção e do afeto da minha mãe que antes eram para mim. Bem depois, quando li algumas das teorias de Freud em uma aula de psicologia no segundo ano da faculdade, me dei conta de que, quando criança, eu tinha uma fixação clássica pela mãe e via Liz como minha rival.

Bom, dã.

Claro que eu sentia ciúmes e tinha bons motivos para isso. Eu não tinha pai, nem sabia quem era o filho da puta, porque minha mãe não falava dele. Depois, descobri que ela teve um bom motivo para *isso*, mas na época eu só sabia que "Somos você e eu contra o mundo, Jamie". Até a Liz chegar, claro. E lembre-se disto, eu não tinha muito da minha mãe mesmo *antes* da Liz, porque minha mãe estava ocupada demais tentando salvar a agência depois que ela e o tio Harry se foderam nas mãos do James Mackenzie (eu odiava que ele e eu tínhamos o mesmo nome). Minha mãe estava sempre garimpando ouro no lodo, torcendo para encontrar outra Jane Reynolds.

Posso dizer que gostar e não gostar estavam bem equilibrados no dia em que fomos ao Chalé dos Paralelepípedos, com gostar um pouco na frente por pelo menos quatro motivos: os carrinhos e caminhões Matchbox não eram coisa pouca; sentar entre elas no sofá e ver *The Big Bang Theory* era divertido e aconchegante; eu queria gostar de quem minha mãe gostava; Liz a fazia feliz. Depois (olha essa palavra de novo), nem tanto.

Aquele Natal foi excelente. Eu ganhei presentes legais das duas e almoçamos cedo no Chinese Tuxedo antes de a Liz ter que ir trabalhar. Porque, ela disse, "Para o crime não tem feriado". E minha mãe e eu fomos até o prédio antigo na Park Avenue.

Minha mãe manteve contato com o sr. Burkett depois que nos mudamos, e às vezes nós três nos encontrávamos.

— Porque ele é solitário — dizia minha mãe —, mas sabe por que mais, Jamie?

— Porque a gente gosta dele — eu respondia, e era verdade.

Nós fizemos a ceia de Natal no apartamento dele (na verdade, sanduíches de peru com molho de cranberry do Zabar) porque sua filha estava na Costa Oeste e não conseguiu voltar. Descobri mais sobre isso depois.

E, sim, porque a gente gostava dele.

Como posso já ter contado, o sr. Burkett era na verdade *prof.* Burkett, agora emérito, que eu entendia que significava que ele estava aposentado, mas ainda podia andar pela NYU e dar umas aulas ocasionais na superespecialidade dele, que por acaso era literatura europeia e inglesa. Uma vez, cometi o erro de chamar a matéria pela sigla LEI e ele me corrigiu, dizendo que *lei* era o que a gente tinha que obedecer.

Mesmo sem recheio de peru e só com cenouras de legume, a refeição foi gostosa e trocamos mais presentes depois. Dei um globo de neve para a coleção do sr. Burkett. Depois, descobri que a coleção era de sua esposa, mas ele admirou o globo, agradeceu e botou na prateleira da lareira com os outros. Minha mãe deu para ele um livrão chamado *The New Annotated Sherlock Holmes*, porque quando ele trabalhava em tempo integral dava uma aula chamada ficção inglesa gótica e de mistério.

Ele deu para a minha mãe um medalhão que disse que tinha sido da esposa. Minha mãe protestou e disse que ele devia guardar para a filha. O sr. Burkett disse que Siobhan tinha ficado com todas as boas joias de Mona e, além disso, "foi à roça perdeu a carroça". Acho que isso queria dizer que, se a filha dele (pelo jeito como ele pronunciava, eu achava que o nome dela era *Shivonn*) não podia se dar ao trabalho de viajar para o leste, ela podia muito bem se danar. Eu meio que concordava com isso, porque quem sabia quantos outros Natais ela teria com o pai vivo? Ele era mais velho do que Deus. Além do mais, pais eram meu ponto fraco, já que eu não tinha um. Sei que dizem que não se sente falta do que nunca se teve, e há certa verdade nisso, mas eu sabia que estava faltando *alguma coisa*.

Meu presente do sr. Burkett também foi um livro. Chamava-se *Vinte contos de fadas sem censura*.

— Você sabe o que significa *sem censura*, Jamie? — Uma vez professor, sempre professor, eu acho.

Eu fiz que não.

— O que você acha? — Ele estava inclinado para a frente com as mãos nodosas entre a coxas magrelas, sorrindo. — Será que você consegue adivinhar pelo contexto do título?

— Sem cortes? Tipo, pra maiores?

— Na mosca. Muito bem.

— Espero que não tenha muito sexo — disse minha mãe. — Ele lê em nível de ensino médio, mas só tem nove anos.

— Não tem sexo, só a famosa violência — disse o sr. Burkett (eu não o chamava de *professor* naquela época porque parecia arrogante). — Por exemplo, na história original da Cinderela, que você vai ver no livro, as irmãs malvadas...

Minha mãe se virou para mim e fingiu sussurrar:

— Alerta de spoiler.

O sr. Burkett nem quis saber. Ele tinha entrado no modo professor. Eu também não me importei, era interessante.

— No original, as irmãs malvadas cortam os dedos dos próprios pés pra tentar fazer o sapatinho de cristal caber.

— Eca! — Falei isso de uma forma que significava *que horror, conta mais.*

— E o sapatinho de cristal não era de cristal, Jamie. Isso parece ter sido um erro de tradução que foi imortalizado pelo Walt Disney, o homogeneizador de conto de fadas. O sapatinho na verdade era feito de pele de esquilo.

— Uau — falei. Não era tão interessante como as irmãs cortando os dedos dos pés, mas eu queria que ele continuasse falando.

— Na história original do Príncipe Sapo, a princesa não beija o sapo. O que ela faz é...

— Chega — disse a minha mãe. — Deixa ele ler as histórias e descobrir sozinho.

— É sempre melhor mesmo — concordou o sr. Burkett. — E podemos conversar depois, Jamie.

O senhor quer dizer que vai falar enquanto eu escuto, pensei, mas não teria problema nenhum.

— Que tal um chocolate quente? — perguntou minha mãe. — Também é do Zabar, e eles fazem o melhor do mundo. Posso esquentar em um minuto.

— Vem, Macduff — disse o sr. Burkett —, e que por todos seja amaldiçoado quem primeiro gritar: "Estou cansado!". — Isso queria dizer sim, e nós tomamos o chocolate com chantili.

Na minha lembrança, esse foi meu melhor Natal da infância, desde as panquecas de Papai Noel que a Liz fez de manhã até o chocolate quente no apartamento do sr. Burkett, no mesmo andar onde eu e minha mãe morávamos antes. A véspera de Ano-Novo também foi boa, mas dormi no sofá entre a minha mãe e Liz antes de a bola descer na Times Square. Tudo ótimo. Mas, em 2010, as brigas começaram.

Antes disso, as duas tinham o que minha mãe chamava de "discussões animadas", em geral sobre livros. Elas gostavam de muitos escritores em comum (o que as uniu foi o Regis Thomas, lembra?) e dos mesmos filmes, mas a Liz achava que a minha mãe se focava demais em coisas como vendas e adiantamentos e os registros de sucesso dos escritores e não nas histórias. E ela ria do trabalho de alguns clientes da minha mãe, chamando de "subliteratura". Minha mãe respondia que os escritores de subliteratura pagavam o aluguel e a conta de luz. Sem mencionar que pagavam pelo lar onde o tio Harry marinava no próprio xixi.

Depois, as brigas começaram a se afastar do terreno mais ou menos seguro de livros e filmes e a ficarem mais acaloradas. Algumas eram sobre política. Liz amava um congressista chamado John Boehner. Minha mãe o chamava de John Brocha, que era como uns garotos que eu conhecia chamavam o pinto mole. Talvez ela estivesse falando do pincel, mas acho que não. Minha mãe achava a Nancy Pelosi (outra política, que você deve conhecer porque ela ainda está na ativa) uma mulher corajosa que trabalhava em um "meio masculino". Liz a achava uma bostinha liberal qualquer.

A maior briga que elas tiveram sobre política foi quando Liz falou que não acreditava totalmente que o Obama tinha nascido nos Estados Unidos. Minha mãe a chamou de burra e racista. Elas estavam no quarto de porta fechada, era lá que a maioria das discussões acontecia, mas as vozes estavam altas e eu ouvi cada palavra na sala. Alguns minutos depois, Liz foi embora, batendo a porta ao sair, e só voltou quase uma semana depois. Quando voltou, elas fizeram as pazes. No quarto. Com a porta fechada. Eu também ouvi isso porque a parte de fazer as pazes era bem barulhenta. Tinha gemidos e risadas e o barulho das molas da cama.

Elas também discutiam sobre táticas policiais, e isso foi alguns anos antes do Black Lives Matter. Esse era um ponto sensível para Liz, como você pode imaginar. Minha mãe condenava o que chamava de "perfilamento racial" e Liz dizia que só se pode desenhar um perfil se as feições estiverem claras. (Não entendi na época e não entendo agora.) Minha mãe disse que, quando pessoas negras e pessoas brancas eram sentenciadas pelo mesmo tipo de crime, os negros recebiam sentenças mais pesadas, e às vezes os brancos nem chegavam a ser presos. Liz respondeu dizendo:

— Me mostra uma avenida Martin Luther King em qualquer cidade e eu te mostro que é uma área de alta criminalidade.

As discussões começaram a ter intervalos menores, e mesmo na minha tenra idade eu sabia o grande motivo disso: elas estavam bebendo demais. Os cafés da manhã com comidas quentes, que minha mãe fazia de duas a três vezes por semana, praticamente pararam. Eu acordava de manhã e elas estavam sentadas usando os roupões iguais, curvadas sobre canecas de café, os rostos pálidos e os olhos vermelhos. Havia três, às vezes quatro garrafas vazias de vinho no lixo com guimbas de cigarro dentro.

Minha mãe dizia:

— Bebe um suco e come cereal enquanto eu me visto, Jamie.

E Liz mandava que eu não fizesse muito barulho porque a aspirina ainda não tinha começado a fazer efeito, a cabeça dela estava estourando e ela teria inspeção ou teria que fazer tocaia por causa de algum caso. Mas não da força-tarefa do Thumper; ela não conseguiu entrar.

Eu tomava meu suco e comia meu cereal quieto como um ratinho nessas manhãs. Quando minha mãe estava vestida e pronta para me levar para a escola (ignorando o comentário da Liz de que eu estava grande o suficiente para ir sozinho), já estava começando a voltar ao normal.

Tudo isso me parecia comum. Acho que o mundo só começa a entrar em foco quando temos quinze ou dezesseis anos; até lá, a gente aceita o que vem e segue o baile. Aquelas duas mulheres de ressaca curvadas na frente do café era como eu começava o dia em algumas manhãs que acabaram virando muitas manhãs. Eu nem reparei no cheiro de vinho que começou a penetrar em tudo. Só uma parte de mim deve ter reparado, porque, anos depois, na faculdade, quando meu colega de quarto derramou uma garrafa de Zinfandel na sala do nosso apartamentinho, tudo voltou e foi como levar uma porrada na cara com uma tábua. O cabelo embaraçado da Liz. Os olhos fundos da minha mãe. O fato de eu saber que tinha que fechar o armário do cereal *lenta* e *silenciosamente*.

Falei para o meu colega de quarto que ia até o 7-Eleven comprar um maço de cigarros (sim, acabei incorporando esse mau hábito), mas precisava mesmo me afastar daquele cheiro. Se pudesse escolher entre ver mortos (sim, eu ainda vejo) e as lembranças trazidas pelo cheiro de vinho derramado, eu escolheria os mortos.

Sem nem piscar a porra dos olhos.

15

Minha mãe passou quatro meses escrevendo *O segredo de Roanoke* com o gravador de confiança sempre do lado. Perguntei uma vez se escrever o livro do sr. Thomas era como pintar um quadro. Ela pensou e disse que era mais como aqueles quadros de pintar seguindo os números, quando a gente só precisa seguir as instruções e acaba com uma coisa que está, supostamente, "pronta para ser emoldurada".

Ela contratou uma assistente para poder trabalhar no livro praticamente em tempo integral. E me disse em uma das nossas caminhadas da escola para casa — que foram o único ar fresco que ela tomou no inverno de 2009 e 2010 — que não tinha dinheiro para contratar uma assistente, mas não podia se dar ao luxo de não contratar. Barbara Means tinha acabado de estudar inglês na Vassar College e estava disposta a ralar pela agência por um salário mequetrefe só pela experiência, e na verdade ela era muito boa, o que foi uma grande ajuda. Eu gostava dos grandes olhos verdes dela, que achava lindos.

Minha mãe escreveu, minha mãe reescreveu, minha mãe leu os livros de Roanoke e praticamente mais nada durante aqueles meses, querendo se imergir totalmente no estilo de Regis Thomas. Ela ouvia minha voz. Voltava e adiantava a gravação. Ia preenchendo a imagem. Uma noite, no meio da segunda garrafa de vinho, eu a ouvi dizer para Liz que, se precisasse escrever mais uma frase no estilo "seios firmes e empinados com mamilos rosados", ficaria maluca. Ela também tinha que atender as ligações comerciais (e uma vez do Page Six do *New York Post*) sobre o estado do último livro do Thomas, porque havia boatos de todos os tipos se espalhando. (Relembrei vividamente tudo isso quando Sue Grafton morreu sem escrever o livro final da série policial das letras do alfabeto.) Minha mãe dizia que odiava ter que mentir.

— Ah, mas você faz isso tão bem. — Lembro de Liz dizer, o que a fez ganhar um dos olhares gelados que eu via cada vez mais no rosto da minha mãe no final do relacionamento delas.

Ela também mentiu para a editora do Regis, disse que o Regis falou pouco antes de morrer que o manuscrito de *Segredo* devia ser mantido guardado e longe dos olhos de todo mundo (exceto da minha mãe, claro) até 2010 "para que o interesse dos leitores crescesse". Liz disse que achava a desculpa meio ruim, mas minha mãe disse que daria certo.

— A Fiona nunca editou os livros dele mesmo — disse ela, falando de Fiona Yarbrough, que trabalhava na Doubleday, editora do sr. Thomas. — O único trabalho dela era escrever uma carta para o Regis depois que recebia cada manuscrito, dizendo que ele tinha se superado de novo.

Quando o livro foi finalmente entregue, minha mãe passou uma semana andando de um lado para o outro e sendo ríspida com todo mundo (eu não fui excluído dessa rispidez), esperando Fiona ligar e dizer *Regis não escreveu esse livro, não parece nem um pouco o estilo dele, acho que foi você, Thia*. Mas, no fim das contas, deu tudo certo. Fiona não percebeu ou não se importou. E os críticos não suspeitaram de nada quando o livro entrou em produção e foi lançado no outono de 2010.

Publishers Weekly: "Thomas guardou o melhor para o final!".

Kirkus Reviews: "Os fãs de ficção histórica tiraram a sorte grande".

Dwight Garner, do *New York Times*: "A prosa lenta e insípida é típica de Thomas: o equivalente a um prato enorme de comida do bufê de um restaurante duvidoso de beira de estrada".

Minha mãe não ligou para as críticas; ela só queria saber do adiantamento enorme e dos direitos autorais renovados dos volumes anteriores da série Roanoke. Ela reclamou muito de só receber quinze por cento depois de ter escrito o livro todo, mas sua pequena vingança foi dedicar o livro para si mesma.

— Porque eu mereço — disse ela.

— Não tenho tanta certeza — disse Liz. — Se você pensar bem, Ti, você só foi a secretária. Acho que devia ter dedicado ao Jamie.

Isso fez Liz ganhar outro olhar gelado da minha mãe, mas achei que ela tinha certa razão. Se bem que, se pensarmos bem *mesmo*, eu também só fui o secretário. O livro continuou sendo do sr. Thomas, morto ou não.

16

Agora, olha só isso: eu contei pelo menos alguns dos motivos para eu gostar da Liz, e devia haver alguns outros. Contei os motivos para eu *não* gostar da Liz, e também devia haver alguns outros. O que só considerei bem depois (é, olha a palavra aí de novo) foi a possibilidade de que ela não gostava de *mim*. Por que eu pensaria nisso? Eu estava acostumado a ser amado, tinha uma atitude quase blasé quanto a isso. Eu era amado pela minha mãe e pelos meus professores, principalmente pela profa. Wilcox, a do terceiro ano, que me abraçou e disse que sentiria saudade de mim no último dia de aula. Eu era amado pelos meus melhores amigos, Frankie Ryder e Scott Abramowitz (embora, claro, nós não falássemos nem pensássemos a respeito). E não esqueça Lily Rhinehart, que me deu um selinho uma vez. Ela também me deu um cartão da Hallmark antes de eu mudar de escola. Tinha a imagem de um cachorrinho de cara triste na frente e dentro dizia *VOU SENTIR SUA FALTA TODOS OS DIAS EM QUE VOCÊ ESTIVER LONGE*. Ela assinou com um coraçãozinho em cima do *i* no nome. E mandou beijos e abraços.

Liz pelo menos *gostava* de mim, ao menos por um tempo, tenho certeza. Mas isso começou a mudar depois do Chalé dos Paralelepípedos. Foi nessa época que ela começou a me ver como uma aberração da natureza. Eu acho... não, eu *sei* que foi nessa época que Liz começou a ter medo de mim, e é difícil gostar das coisas de que se tem medo. Talvez seja impossível.

Apesar de achar que nove anos era idade suficiente para eu ir andando para a escola sozinho, Liz às vezes ia me buscar no lugar da minha mãe quando ela tinha que trabalhar no que chamava de "turno quebra-galho", que começava às quatro da manhã e terminava ao meio-dia. Era um turno que os detetives tentavam evitar, mas Liz caía nele com frequência. Essa foi outra coisa que eu nunca questionei, mas depois (olha aí de novo, tá, tá, tá) percebi que os chefes não gostavam muito dela. Nem confiavam. Não tinha a ver com o relacionamento que ela tinha com a minha mãe; quando o assunto era sexo, a polícia de Nova York estava chegando lentamente no século XXI. Também não era a bebida, porque ela não era a única policial que gostava de encher a cara. Mas certas pessoas com quem ela trabalhava tinham começado a desconfiar de que Liz fosse uma policial corrupta. E — alerta de spoiler! — eles estavam certos.

17

Preciso contar sobre duas ocasiões específicas em que Liz foi me buscar depois da aula. Nas duas ocasiões, ela estava com o carro dela mesma, não com o que usou para irmos até o Chalé dos Paralelepípedos, mas o que ela chamava de pessoal. A primeira vez foi em 2011, quando ela e a minha mãe ainda estavam juntas. A segunda foi em 2013, um ano depois que elas deixaram de estar. Vou chegar nessa parte, mas uma coisa de cada vez.

Eu saí da escola naquele dia de março com a mochila pendurada em um ombro só (que era o que os garotos descolados do sexto ano faziam) e Liz estava me esperando junto ao meio-fio no Honda Civic. Na vaga para pessoas com deficiência, mas ela estava com o pequeno letreiro que dizia POLICIAL DE SERVIÇO no painel para isso... e você pode argumentar que isso deveria ter me dito algo sobre o caráter dela mesmo na tenra idade de onze anos.

Eu entrei, tentando não franzir o nariz por causa do cheiro de fumaça velha de cigarro que nem o aromatizador em formato de pinheiro pendurado no retrovisor conseguia disfarçar. Àquela altura, graças a *O segredo de Roanoke*, nós já tínhamos apartamento próprio e não precisávamos mais morar na agência, então eu estava esperando carona até em casa, mas Liz foi para o centro.

— Aonde estamos indo? — perguntei.

— Vamos dar um passeio, campeão — disse ela. — Você vai ver.

O passeio foi até o cemitério Woodlawn, no Bronx, local de descanso final de Duke Ellington, Herman Melville e Bartholomew "Bat" Masterson, dentre outros. Sei sobre eles porque pesquisei e depois escrevi um trabalho sobre Woodlawn para a escola. Liz entrou lá pela avenida Webster e começou a dirigir pelas vias. Foi legal, mas meio assustador.

— Sabe quanta gente foi plantada aqui? — perguntou ela, e, quando fiz que não: — Trezentas mil. Menos do que a população de Tampa, mas não muito. Eu olhei na Wikipédia.

— Por que a gente está aqui? É legal, mas eu tenho dever de casa. — Não era mentira, mas era o tipo de coisa que dava para acabar em meia hora. O dia estava ensolarado e colorido e ela parecia bem normal, só a Liz amiga da minha mãe, mas, mesmo assim, aquele passeio estava meio sinistro.

Ela ignorou completamente minha jogada do dever de casa.

— Tem gente sendo enterrada aqui o tempo todo. Olha pra sua esquerda. — Ela apontou e reduziu de quarenta quilômetros por hora para um ritmo de tartaruga. O local para onde ela estava apontando estava com gente em volta de um caixão colocado ao lado de um buraco aberto. Havia um pastor na cabeceira do túmulo com um livro aberto na mão. Eu sabia que ele não era rabino porque não estava de chapeuzinho.

Liz parou o carro. Ninguém do funeral prestou atenção. As pessoas estavam absortas no que o pastor estava dizendo.

— Você vê gente morta — disse ela. — Já aceito isso agora. É difícil não aceitar depois do que aconteceu na casa do Thomas. Tem alguma aqui?

— Não — falei, mais incomodado do que nunca. Não por causa da Liz, mas porque eu tinha acabado de receber a notícia de que estávamos cercados por trezentos mil cadáveres. Apesar de eu saber que os mortos iam embora depois de alguns dias, no máximo uma semana, eu quase esperava vê-los parados ao lado dos túmulos ou bem em cima. E depois vindo para cima de nós, como em uma porra de filme de zumbi.

— Tem certeza?

Olhei para o funeral (ou cerimônia de enterro, sei lá como chamam isso). O pastor devia ter começado uma oração, porque todas as pessoas estavam com a cabeça baixa. Todas menos uma. Ele só estava parado olhando despreocupado para o céu.

— O cara de terno azul — falei por fim. — O que não está de gravata. Ele pode estar morto, mas não tenho certeza. Se não tem nada de errado com eles quando eles morrem, nada que fique *exposto*, eles meio que são iguais a todo mundo.

— Não estou vendo nenhum homem sem gravata — disse ela.

— Bem, então ele tá morto mesmo.

— Eles sempre vão aos próprios enterros? — perguntou Liz.

— Como eu vou saber? É a primeira vez que entro em um cemitério, Liz. Eu vi a sra. Burkett no funeral dela, mas não sei sobre o cemitério porque eu e minha mãe não fomos nessa parte. Nós fomos pra casa.

— Mas você vê *ele*. — Ela estava olhando para o grupo como se estivesse em transe. — Você poderia ir até lá e falar com ele, como falou com Regis Thomas naquele dia.

— Eu que não vou lá! — Não gosto de dizer que falei choramingando, mas foi assim mesmo. — Na frente de todos os amigos dele? Na frente da esposa e dos filhos? Você não pode me obrigar.

— Calma aí, campeão — disse ela e bagunçou meu cabelo. — Só estou tentando entender direito. Como você acha que ele veio parar aqui? Claro que ele não veio de Uber.

— Não sei. Eu quero ir pra casa.

— Daqui a pouco — disse ela, e continuamos a rodar pelo cemitério, passando por tumbas e monumentos e por um bilhão de lápides comuns.

Passamos por mais três cerimônias de enterro no caminho, duas pequenas como a primeira, em que a estrela do show era uma presença invisível, e uma enorme, em que umas duzentas pessoas tinham se reunido em uma encosta e o cara no comando (com chapeuzinho... e um xale bem irado) estava usando um microfone. Em cada um, Liz me perguntou se eu via a pessoa morta, e cada vez eu disse que não tinha ideia.

— Você provavelmente não me contaria se visse — disse ela. — Estou vendo que você está todo rabugento.

— Eu não estou rabugento.

— Está, sim, e se contar pra Thia que eu te trouxe aqui a gente provavelmente vai brigar. Será que você não pode dizer que a gente foi tomar sorvete?

Nós estávamos quase de volta na avenida Webster e eu estava me sentindo um pouco melhor. Estava dizendo para mim mesmo que Liz tinha o direito de ficar curiosa, que qualquer pessoa ficaria.

— Talvez, se você comprar um pra mim.

— Suborno! É um delito de classe B! — Ela riu, bagunçou meu cabelo e tudo ficou bem de novo.

Nós saímos do cemitério e eu vi uma jovem de vestido preto sentada em um banco, esperando o ônibus. Uma garotinha de vestido branco e sapatos pretos brilhantes estava sentada ao lado dela. A garotinha tinha cabelo dourado e bochechas rosadas e um buraco na garganta. Eu acenei para ela. Liz não me viu fazer isso; ela estava esperando uma folga no tráfego para poder entrar na rua. Não contei para ela o que vi. Naquela noite, Liz foi embora depois do jantar, para trabalhar ou para voltar para casa, e eu quase contei para a minha mãe. Mas acabei não contando. Acabei guardando a garotinha de cabelo dourado só para mim. Depois, eu pensaria que o buraco na garganta era porque a garota engasgou com comida e cortaram a garganta dela para ela poder respirar, mas era tarde demais. Ela estava sentada lá, ao lado da mãe, e a mãe não sabia. Mas eu sabia. Eu vi. Quando eu acenei para ela, ela acenou para mim.

18

Enquanto estávamos tomando sorvete no Lickety Split (Liz ligou para a minha mãe para dizer onde estávamos e o que estávamos fazendo), Liz disse:

— Deve ser tão estranho isso que você consegue fazer. Tão *bizarro*. Não te deixa morrendo de medo?

Pensei em perguntar se ela sentia medo de olhar para a noite e ver as estrelas e saber que elas continuavam para toda a eternidade, mas nem me dei a esse trabalho. Só falei que não. A gente se acostuma com as coisas extraordinárias. Aceita como normais. Podemos até tentar não nos acostumar, mas é o que acontece. Tem coisa extraordinária demais no mundo, só isso. Em toda parte.

19

Vou contar sobre a outra vez em que a Liz me pegou na escola daqui a pouco, mas primeiro preciso contar sobre o dia em que elas terminaram. Foi uma manhã assustadora, pode acreditar.

Eu acordei naquele dia antes mesmo do meu despertador tocar porque minha mãe estava gritando. Eu já a tinha ouvido com raiva, mas não *tanto*.

— Você trouxe para o apartamento? Onde eu moro com o meu *filho*?

Liz respondeu alguma coisa, mas foi um murmúrio e eu não consegui ouvir.

— Você acha que faz diferença pra mim? — gritou a minha mãe. — Nos programas policiais eles dizem que é coisa séria! Eu poderia ir presa como cúmplice!

— Não faz drama — disse Liz. Mais alto agora. — Não tinha nenhuma chance de...

— *Isso não importa!* — gritou a minha mãe. — Estava aqui! Ainda *está* aqui! Na porra da mesa, ao lado da porra do açucareiro! Você trouxe drogas pra minha casa! *Coisa séria!*

— Você pode parar de dizer isso? Não estamos em um episódio de *Lei e ordem*. — Agora, Liz também estava começando a falar alto. A ficar com raiva. Fiquei com o ouvido grudado na porta do quarto, descalço e de pijama, o coração disparado. Não era uma discussão, não era uma briga. Era mais do que isso. Era pior. — Se você não tivesse revirado meus bolsos...

— Você acha que eu estava revirando suas coisas? Eu queria fazer um *favor*! Eu ia levar seu casaco extra do uniforme pra tinturaria, junto com minha saia de lã. Há quanto tempo está lá?

— Pouco. O dono está fora da cidade. Ele volta amanh...

— *Quanto tempo?*

A resposta da Liz foi novamente baixa demais para eu ouvir.

— Então por que você trouxe pra cá? Não entendo isso. Por que você não colocou no cofre de armas da sua casa?

— Eu não... — Ela parou.

— Não o quê?

— Eu não *tenho* um cofre pras armas. E já houve invasões no meu prédio. Além do mais, eu vinha pra cá. A gente ia passar o fim de semana juntas. Eu pensei em economizar a viagem.

— *Economizar a viagem?*

Liz não respondeu.

— Não tem cofre pra armas no seu apartamento. Quantas outras mentiras você me contou? — Minha mãe nem estava mais com raiva na voz. Pelo menos, não naquele momento. Ela parecia magoada. Como se estivesse com vontade de chorar. Tive vontade de sair e mandar a Liz deixar a minha mãe em paz, mesmo tendo sido a minha mãe a começar por ter encontrado o que ela encontrou, a *coisa séria*. Mas só fiquei lá parado, ouvindo. E tremendo.

Liz murmurou mais um pouco.

— É por isso que você está com problemas na delegacia? Você também usa, além de... sei lá, *transportar* a substância? *Distribuir* a substância?

— Eu não uso e não distribuo!

— Bom, você está passando adiante! — A voz da minha mãe estava ficando alta de novo. — Pra mim, isso é distribuir. — Em seguida, ela voltou para o que estava mesmo incomodando. Bom, não a única coisa, mas a que estava incomodando mais. — Você trouxe para o meu *apartamento*. Onde meu *filho* está. Você tranca sua arma no carro, eu sempre insisti nisso, mas agora eu encontro *um quilo de cocaína* na sua jaqueta. — Ela riu, mas não do jeito que as pessoas riem quando acham alguma coisa engraçada. — Sua jaqueta do uniforme da *polícia*!

— Não é um quilo. — Ela parecia emburrada.

— Eu cresci pesando carne no mercado do meu pai — disse a minha mãe. — Conheço um quilo quando seguro na mão.

— Vou levar embora — disse ela. — Agora mesmo.

— Faz isso mesmo, Liz. Agora mesmo. E pode voltar pra buscar as suas coisas. Com hora marcada. Quando eu estiver aqui e o Jamie não estiver. Fora isso, nunca mais.

— Você não está falando sério — disse Liz, mas, mesmo pela porta, percebi que ela própria não acreditava no que estava dizendo.

— Estou, sim. Vou te fazer um favor e não denunciar o que encontrei para o seu capitão, mas, se você botar as caras aqui de novo, fora essa única vinda pra pegar suas coisas, eu vou. Pode considerar isso uma promessa.

— Você está me expulsando? Sério?

— Sério. Pega sua droga e vai se foder.

Liz começou a chorar. Foi horrível. Depois que ela foi embora, minha mãe começou a chorar e foi pior ainda. Fui até a cozinha e a abracei.

— O quanto você ouviu? — perguntou minha mãe, mas, antes que eu pudesse responder: — Tudo, imagino. Não vou mentir pra você, Jamie. Nem dourar a pílula. Ela trouxe drogas, muita quantidade, e eu nunca quero que você fale nada sobre isso, tá?

— Era mesmo cocaína? — Eu também estava chorando, mas só percebi quando minha voz saiu rouca.

— Era. E como você já sabe tanta coisa, é melhor eu contar logo que experimentei na faculdade, só duas vezes. Botei na boca o que encontrei no saco e minha língua ficou dormente. Era cocaína, sim.

— Mas não está mais aqui. Ela levou.

As mães sabem de que as crianças têm medo quando são boas mães. Um crítico poderia chamar isso de noção romântica, mas acho que é só um fato prático.

— Levou, e nós estamos bem. Foi um jeito horrível de começar o dia, mas acabou. Vamos passar a borracha nisso e seguir em frente.

— Tudo bem, mas... a Liz não é mesmo mais sua amiga?

Minha mãe usou um pano de prato para secar o rosto.

— Acho que ela não é minha amiga já tem um tempo. Eu só não sabia. Agora, vai se arrumar pra escola.

Naquela noite, quando eu estava fazendo o dever de casa, ouvi um *glug-glug-glug* vindo da cozinha e senti cheiro de vinho. O cheiro foi bem mais forte do que o habitual, mesmo nas noites em que a minha mãe e a Liz entornavam várias garrafas. Saí do meu quarto para ver se ela tinha derrubado uma no chão (apesar de não ter havido barulho de vidro quebrando) e vi minha mãe parada na frente da pia com uma jarra de vinho tinto em uma das mãos e uma de vinho branco na outra. Ela estava jogando tudo no ralo.

— Por que você está jogando tudo fora? Estragou?

— De certa forma, sim — disse ela. — Acho que começou a estragar uns oito meses atrás. Está na hora de parar.

Descobri depois que a minha mãe frequentou o AA por um tempo depois que terminou com a Liz, depois decidiu que não precisava mais. ("Era só um bando de velhos resmungando e gemendo por causa de um gole de trinta anos atrás", disse ela.) E acho que ela não parou completamente, porque uma ou duas vezes pensei ter sentido cheiro de vinho em seu hálito quando ela me deu um beijo de boa-noite. Talvez de um jantar com um cliente. Se ela tinha alguma garrafa no apartamento, eu nunca descobri onde ela escondia (não que eu tenha procurado muito). O que sei é que, nos anos seguintes, eu nunca a vi bêbada e nunca a vi de ressaca. Isso para mim já bastou.

20

Fiquei muito tempo sem ver Liz Dutton depois disso, um ano, talvez um pouco mais. Senti falta dela no começo, mas o sentimento não durou. Quando vinha, eu só lembrava que ela tinha ferrado a minha mãe, e muito. Eu ficava esperando que minha mãe arrumasse outra amiga que dormisse na nossa casa, mas não aconteceu. Nunca. Perguntei uma vez e ela disse:

— Gato escaldado tem medo de água fria. Nós estamos bem e é isso que importa.

E estávamos mesmo. Graças a Regis Thomas, vinte e sete semanas na lista de mais vendidos do *New York Times*, e alguns clientes novos (um deles descoberto por Barbara Means, que tinha passado a trabalhar em tempo integral e acabou ganhando o nome na porta em 2017), a agência estava de pé e firme de novo. O tio Harry voltou para o residencial em Bayonne (o mesmo lugar com uma nova gerência), o que não era ótimo, mas melhor do que antes. Minha mãe não ficava mais irritada de manhã e comprou umas roupas novas.

— Estava precisando — disse ela uma vez naquele ano. — Eu perdi oito quilos de vinho.

Eu estava no fundamental II, que era horrível em alguns aspectos, mas era o.k. em outros, e tinha uma vantagem excelente: os alunos atletas sem aula no último tempo do dia podiam ir para o ginásio, para a sala de artes, para a sala de música ou ir embora mais cedo. Eu só jogava basquete pela escola e o campeonato tinha acabado, mas valia para mim mesmo assim. Em alguns dias, eu ia para a sala de artes, porque uma garota lindinha chamada Marie O'Malley ia para lá de vez em quando. Se ela não estivesse trabalhando em uma de suas aquarelas, eu só ia para casa. Andando se o tempo estivesse bom (sozinho, eu nem deveria precisar dizer) ou de ônibus se estivesse feio.

No dia em que Liz Dutton voltou para a minha vida, eu nem me dei ao trabalho de procurar Marie, porque tinha ganhado um Xbox de aniversário e queria jogar. Eu estava a caminho da calçada, botando a mochila nas costas (nada de um ombro só agora; o sexto ano já era passado pré-histórico), quando ela me chamou.

— Ei, campeão, e aí, bambino?

Ela estava encostada no carro particular, as pernas cruzadas nos tornozelos, de calça jeans e uma blusa decotada. Havia um blazer por cima da blusa em vez de uma jaqueta, mas tinha NYPD no peito e ela o puxou do jeito antigo para mostrar o coldre de ombro. Só que, desta vez, não estava vazio.

— Oi, Liz — murmurei. Olhei para os meus sapatos e virei para a direita, para a rua.

— Espera aí. Eu preciso falar com você.

Eu parei, mas não me virei para ela. Era como se ela fosse a Medusa e uma olhada para aquela cabeça cheia de serpentes fosse me transformar em pedra.

— Acho que não devo. Minha mãe ficaria brava.

— Ela não precisa saber. Se vira, Jamie. Por favor. Ficar olhando pras suas costas acaba comigo.

Ela parecia mesmo estar se sentindo mal, e isso fez com que eu me sentisse mal. Eu me virei. O blazer estava fechado de novo, mas dava para ver o volume da arma mesmo assim.

— Quero que você dê uma volta comigo.

— Não é uma boa ideia — falei.

Eu estava pensando em uma garota chamada Ramona Sheinberg. Ela estudava comigo em algumas matérias no começo do ano, mas sumiu de repente, e meu amigo Scott Abramowitz me disse que o pai a pegou na época da briga judicial pela guarda dela e a levou para um lugar onde não havia extradição. Scott esperava que pelo menos fosse um lugar com palmeiras.

— Eu preciso que você use a sua habilidade, campeão — disse ela. — Preciso muito.

Eu não respondi, mas ela devia ter visto que eu estava na dúvida, porque abriu um sorriso. Foi um sorriso bonito que iluminou aqueles olhos cinzentos dela. Não estavam frios naquele dia.

— Pode ser que não dê em nada, mas quero tentar. Quero que *você* tente.

— Que tente o quê?

Ela não respondeu, não naquela hora, só esticou a mão para mim.

— Eu ajudei sua mãe quando o Regis Thomas morreu. Você não pode me ajudar agora?

Tecnicamente, fui eu que ajudei minha mãe naquele dia. Liz só nos deu uma carona rápida pela via expressa Sprain Brook, mas ela *parou mesmo* para comprar um hambúrguer para mim quando a minha mãe só queria seguir em frente. E ela me deu o resto da sua coca quando minha boca estava seca de tanto falar. Então, eu entrei no carro. Não me senti bem em fazer isso, mas fiz. Os adultos têm poder, principalmente quando imploram, e era isso que a Liz estava fazendo.

Perguntei a Liz aonde estávamos indo e ela disse Central Park para começar. Talvez uns dois outros lugares depois. Eu falei que, se não chegasse em casa até as cinco, minha mãe ficaria preocupada. Liz me disse que ia tentar me levar antes disso, mas que aquilo era muito importante.

Foi nessa hora que ela me contou o problema.

21

O cara que se chamava Thumper colocou sua primeira bomba em Eastport, uma cidade de Long Island não muito longe de Speonk, lar da Cabana do Tio Harry (piada literária). Isso foi em 1996. Thumper jogou uma banana de dinamite com um timer preso nela em uma lata de lixo em frente aos banheiros do supermercado King Kullen. O timer não passava de um despertador barato, mas funcionou. A dinamite explodiu às nove da noite, na hora que o supermercado estava fechando. Três pessoas se machucaram, todas funcionárias da loja. Duas só sofreram ferimentos superficiais, mas o terceiro cara estava saindo do banheiro masculino quando a bomba explodiu. Ele perdeu um olho e o braço direito até o cotovelo. Dois dias depois, chegou um bilhete na Delegacia de Polícia do Condado de Suffolk. Foi datilografado em uma IBM Selectric. Dizia: *Gostaram do meu trabalho até agora? Vem mais por aí! THUMPER.*

Thumper colocou dezenove bombas antes de conseguir matar uma pessoa.

— *Dezenove!* — exclamou Liz. — E ele bem que estava tentando. Ele as colocou nos cinco distritos e duas em Nova Jersey, em Jersey City e Fort Lee, por garantia. Sempre dinamite, e de fabricação canadense.

Mas o placar de feridos era alto. Estava perto de cinquenta quando ele finalmente matou o homem que pegou o telefone público errado na avenida Lexington. Cada cabum era seguido de um bilhete para a polícia responsável pela área onde o dito cabum aconteceu, e os bilhetes eram sempre iguais: *Gostaram do meu trabalho até agora? Vem mais por aí! THUMPER.*

Antes de Richard Scalise (o nome do homem do telefone público), um longo período se passava entre cada explosão. As duas mais próximas tiveram seis semanas de intervalo. O maior de todos foi perto de um ano. Mas, depois de Scalise, Thumper acelerou. As bombas ficaram maiores e os timers, mais sofisticados. Dezenove explosões entre 1996 e 2009... vinte, contando a do telefone público. Entre 2010 e o belo dia de maio de 2013 em que Liz voltou para a minha vida, ele explodiu mais dez, ferindo vinte e matando três. Àquela altura, Thumper não era só uma lenda urbana nem só o assunto principal do NY1; ele estava famoso no país todo.

Ele era bom em evitar câmeras de segurança, e as que não dava para evitar só mostravam um cara de casaco, óculos escuros e um boné dos Yankees bem enfiado na cabeça. Ele mantinha a cabeça baixa. Tinha um pouco de cabelo branco aparecendo nas laterais e na parte de trás do boné, mas podia ser de uma peruca. Ao longo dos dezessete anos do seu "reinado de terror", três forças-tarefa diferentes foram organizadas para pegá-lo. A primeira foi desfeita durante um intervalo longo no "reinado", quando a polícia supôs que ele tinha terminado. A segunda acabou depois de uma grande reorganização na polícia. A terceira começou em 2011, quando ficou claro que Thumper estava em velocidade máxima. Liz não me contou isso tudo a caminho do Central Park; eu descobri depois, assim como várias outras coisas.

Finalmente, dois dias antes, fizeram a descoberta que estavam esperando sobre o caso. O Filho de Sam foi pego por causa de uma multa de estacionamento irregular. Ted Bundy foi pego porque esqueceu de acender os faróis. Thumper, cujo verdadeiro nome era Kenneth Alan Therriault, foi pego porque um zelador de prédio teve um pequeno acidente no dia de coleta de lixo. Ele estava empurrando um carrinho cheio de latas de lixo por uma viela até o ponto de coleta na esquina. Ele passou em um buraco e uma das latas de lixo virou. Quando foi limpar a sujeira, ele encontrou um emaranhado de fios e um pedaço de papel amarelo com a palavra CANACO impressa. Talvez ele não tivesse chamado a polícia se isso fosse tudo, mas não era. Preso a um dos fios havia um detonador Dyno Nobel.

Nós chegamos ao Central Park e paramos junto a alguns carros comuns de polícia (outra coisa que descobri depois é que o Central Park tem distrito próprio, o 22º). Liz botou a plaquinha de policial no painel e seguimos pela 86th Street por um tempo antes de entrarmos em um caminho que levava ao monumento a Alexander Hamilton. Isso eu não descobri depois; eu só li a porra do letreiro. Ou placa. Tanto faz.

— O zelador tirou uma foto dos fios, do pedaço de papel e do detonador com o celular, mas a força-tarefa só recebeu no dia seguinte.

— Ontem.

— Certo. Assim que vimos, soubemos que era nosso cara.

— Claro, por causa do detonador.

— É, mas não só isso. Sabe o pedaço de papel? Canaco é uma empresa canadense que fabrica dinamite. Nós pegamos uma lista de todos os moradores do prédio e eliminamos a maioria sem nenhum trabalho de campo, porque nós sabíamos que estávamos procurando um homem, provavelmente solteiro, provavelmente branco. Só havia seis moradores que preenchiam todos esses requisitos, e só um cara que já tinha trabalhado no Canadá.

— Vocês procuraram no Google, né? — Eu estava ficando interessado.

— Isso mesmo. Dentre outra coisas, descobrimos que Kenneth Therriault tem dupla cidadania, americana e canadense. Ele teve vários tipos de emprego em construção lá no norte gelado, além de ter trabalhado em locais de fraturamento hidráulico e de xisto betuminoso. Ele era o Thumper, tinha que ser.

Dei só uma olhada rápida em Alexander Hamilton, o suficiente para ler a placa e reparar na calça engraçada. Liz estava me segurando pela mão, me levando para um caminho um pouco depois da estátua. Estava me puxando, na verdade.

— Nós entramos com uma equipe da SWAT, mas o apartamento estava vazio. Bom, não vazio *vazio*, as coisas dele estavam lá, mas ele não. O zelador não guardou sua grande descoberta para si, infelizmente, apesar de ter recebido instruções pra isso. Ele falou com alguns moradores e a notícia se espalhou. Uma das coisas que encontramos no apartamento dele foi uma IBM Selectric.

— É uma máquina de escrever?

Ela assentiu.

— Essas belezinhas vinham com tipos diferentes pra fontes diferentes. A da máquina batia com os bilhetes do Thumper.

Antes de chegarmos no caminho e no banco que não estava lá, preciso contar outras coisas que descobri depois. Ela estava contando a verdade quando disse que Therriault acabou fazendo merda, mas ficava dizendo *nós*. *Nós* isso e *nós* aquilo, mas Liz não estava na força-tarefa do Thumper. Ela *tinha* sido parte da segunda, a que terminou com a reorganização do departamento quando todos estavam correndo de um lado para outro como galinhas sem cabeça, mas em 2013 a única coisa que Liz ainda tinha na polícia de Nova York era um dedinho, e só porque os policiais têm um sindicato foda. O resto dela já estava quase no olho da rua. A Divisão de Assuntos Internos estava rodeando como um bando de abutres em volta de carniça, e no dia em que ela me buscou na escola ela não seria colocada nem em uma força-tarefa dedicada a pegar gente que joga lixo no chão. Ela precisava de um milagre e eu deveria ser esse milagre.

— Hoje todos os policiais dos distritos já estavam com o nome e a descrição de Kenneth Therriault. Todas as saídas da cidade estavam sendo monitoradas por olhos humanos e por câmeras... e, como sei que você sabe, são muitas câmeras. Pegar esse cara morto ou vivo virou nossa maior prioridade, porque estávamos com medo de que ele decidisse acabar com tudo em algum tipo de explosão gloriosa. Talvez com uma bomba na frente da Saks da Quinta Avenida ou na estação Grand Central. Só que ele nos fez um favor.

Ela parou e apontou para um lugar na lateral do caminho. Reparei que a grama estava amassada, como se muita gente tivesse ficado parada ali.

— Ele veio para o parque, se sentou em um banco e estourou o cérebro com uma Ruger calibre quarenta e cinco.

Olhei para o local, impressionado.

— O banco está no laboratório forense da polícia de Nova York em Jamaica, mas foi aqui que ele se matou. E a grande pergunta é a seguinte: Você o vê? Ele está aqui?

Olhei ao redor. Eu não tinha ideia de como Kenneth Alan Therriault era, mas, se ele tinha estourado os miolos, eu não achava que ele passaria despercebido. Vi alguns garotos jogando um frisbee para o cachorro pegar (o cachorro estava sem coleira, o que não era permitido no Central Park), vi duas mulheres correndo, dois skatistas e dois caras idosos lendo jornal mais para a frente, mas não vi ninguém com um buraco na cabeça e falei isso para ela.

— Porra — disse Liz. — Bom, tudo bem. Nós temos mais duas chances, pelo menos na minha opinião. Ele trabalhou no hospital City of Angels, na 70th Street, uma mudança radical da época que trabalhou com construção, mas ele já estava na casa dos setenta anos. Tem também o prédio onde ele mora, que fica no Queens. O que você acha, campeão?

— Acho que quero ir pra casa. Ele pode estar em qualquer lugar.

— É mesmo? Você não disse que eles ficam em lugares onde passaram um tempo quando estavam vivos? Antes de, sei lá, se apagarem de vez?

Eu não conseguia lembrar se tinha dito isso pra ela exatamente, mas era verdade. Mesmo assim, eu estava me sentindo cada vez mais como Ramona Sheinberg. Sequestrado, em outras palavras.

— Pra quê? Ele está morto, né? Caso encerrado.

— Não exatamente. — Ela se inclinou para me encarar. Não precisou se inclinar muito em 2013, porque eu estava ficando mais alto. Nem perto do 1,82 metro que tenho agora, mas alguns centímetros. — Tinha um bilhete preso na jaqueta dele. Dizia: *Tem mais uma, e das grandes. Fodam-se, vejo vocês no inferno*. Estava assinado *THUMPER*.

Bom, isso mudava as coisas de perspectiva.

22

Nós fomos primeiro ao City of Angels, porque era mais perto. Não tinha nenhum cara com um buraco na cabeça na frente, só alguns fumantes, então passamos pela entrada da sala de emergência. Tinha muita gente sentada lá, e um cara tinha um sangramento na cabeça. O ferimento me pareceu mais uma laceração do que um buraco de bala, e ele era mais jovem do que Liz disse que Kenneth Therriault era, mas perguntei a Liz se ela o via, só para ter certeza. Ela disse que via.

Nós fomos até a recepção, onde Liz mostrou o distintivo e se identificou como detetive da polícia de Nova York. Ela perguntou se havia uma sala onde os funcionários guardavam as coisas e trocavam de roupa para trabalhar. A mulher da recepção disse que sim, mas que outros policiais já tinham estado lá e levado tudo do armário de Therriault. Liz perguntou se eles ainda estavam lá dentro e a mulher disse que não, que os últimos tinham ido embora horas antes.

— Eu gostaria de dar uma olhada rápida mesmo assim — disse Liz. — Me diga como eu chego lá.

A moça disse para pegarmos o elevador até o subsolo B e virarmos à direita. Em seguida, sorriu para mim e disse:

— Veio ajudar a mamãe na investigação hoje, rapazinho?

Pensei em dizer *Bom, ela nem é minha mãe, mas acho que estou ajudando porque ela espera que, se o sr. Therriault ainda estiver aqui, eu consiga ver.* Claro que não era uma boa ideia, então fiquei quieto.

Liz, não. Ela explicou que a enfermeira da escola achou que eu estava com mononucleose e que aquilo era uma oportunidade de eu ser examinado e visitar o local de trabalho de Therriault ao mesmo tempo. Dois coelhos com uma cajadada só.

— Seria melhor você ser atendido pelo seu médico — disse a moça da recepção. — Está uma loucura aqui hoje. Vocês vão esperar horas.

— Acho que é melhor mesmo — concordou Liz. Pensei no quanto aquilo pareceu natural e em como ela mentia bem. Não consegui decidir se senti nojo ou admiração. Acho que um pouco das duas coisas.

A moça da recepção se inclinou para a frente. Fiquei fascinado pela forma como os peitos enormes empurraram os papéis para a frente. Fez com que eu pensasse em um barco quebra-gelo que eu tinha visto em um filme. Ela baixou a voz.

— Todo mundo ficou chocado, vou te dizer. Ken era o funcionário mais velho e também o mais gentil. Trabalhador, sempre querendo agradar. Se alguém pedisse pra ele fazer alguma coisa, ele sempre fazia feliz. E com um sorriso. E pensar que a gente estava trabalhando com um *assassino*! Sabe o que isso prova?

Liz balançou a cabeça, impaciente para seguirmos logo em frente.

— Que a gente nunca sabe — disse a moça da recepção. Ela falou como alguém compartilhando uma grande verdade. — A gente nunca sabe mesmo!

— Ele disfarçava muito bem mesmo — disse Liz, e eu pensei *Um mentiroso sempre reconhece outro.*

No elevador, perguntei:

— Se você é da força-tarefa, por que não está *com* a força-tarefa?

— Não seja burro, campeão. Você acha que eu podia *te* levar até a força-tarefa? Ter que inventar uma história sobre você na recepção já foi bem ruim. — O elevador parou. — Se alguém perguntar sobre você, lembra por que está aqui.

— Mononucleose.

— Isso mesmo.

Mas não tinha ninguém para perguntar. A sala dos funcionários estava vazia. Tinha uma fita amarela com as palavras INVESTIGAÇÃO POLICIAL – NÃO ENTRE na porta. Liz e eu passamos por baixo, ela segurando a minha mão. Havia bancos, algumas cadeiras e uns vinte e poucos armários. E também uma geladeira, um micro-ondas e um forno elétrico. Havia uma caixa aberta de Pop Tarts perto do forno elétrico, e pensei que não seria ruim comer um Pop Tart naquela hora. Mas não havia sinal de Kenneth Therriault.

Os armários tinham nomes grudados com fita adesiva. Liz abriu o do Therriault usando um lenço por causa do resto de pó para identificar digitais. Ela mexeu devagar, como se esperasse que ele estivesse escondido dentro, como o bicho-papão no armário de uma criança. Therriault era uma espécie de bicho-papão, mas não estava lá dentro. Estava vazio. A polícia levou tudo.

Liz disse porra de novo. Olhei meu celular para ver a hora. Eram três e vinte.

— Eu sei, eu sei — disse ela.

Seus ombros estavam murchos, e, embora eu me ressentisse da forma como ela me pegou e me levou para onde queria, não consegui não sentir certa pena dela. Lembrei-me do sr. Thomas dizendo que minha mãe parecia mais velha, e agora eu achava que a amiga da minha mãe parecia mais velha também. Mais magra. E eu também tinha que admitir que sentia certa admiração, porque ela estava tentando fazer a coisa certa e salvar vidas. Ela era tipo a heroína de um filme, a loba solitária que quer resolver o caso sozinha. Talvez ela se importasse com as pessoas inocentes que poderiam ser vaporizadas com a última bomba do Thumper. Provavelmente se importava, mesmo. Mas sei agora que ela estava mais preocupada em salvar o emprego. Não gosto de pensar que era a preocupação principal dela, mas, à luz dos acontecimentos de depois (e vou chegar nisso), tenho que pensar que era.

— Tudo bem, mais uma tentativa. E para de olhar pra esse celular idiota, campeão. Sei que horas são e, por mais problema que você tenha se eu não te levar pra casa antes da hora da sua mãe chegar, meu problema vai ser maior.

— Ela deve sair com a Barbara pra beber alguma coisa antes de ir pra casa mesmo. A Barbara trabalha na agência agora.

Não sei bem por que falei isso. Porque eu também queria salvar vidas inocentes, acho, se bem que isso me parecia um tanto teórico para mim, porque eu não achava que nós fôssemos encontrar Kenneth Therriault. Acho que foi porque Liz parecia tão desanimada. Tão encurralada.

— Que golpe de sorte — disse ela. — Só precisamos de mais um agora.

23

O Frederick Arms tinha doze ou catorze andares e era feito de tijolos cinzentos com barras nas janelas nos apartamentos do primeiro e do segundo andar. Para um garoto que cresceu no Palácio na Park, parecia mais a prisão de *Um sonho de liberdade* do que um prédio de apartamentos. E Liz soube na mesma hora que não poderíamos entrar no prédio e menos ainda no apartamento de Kenneth Therriault. O local estava infestado de policiais. Os curiosos estavam parados no meio da rua, tão perto dos cavaletes da polícia quanto dava, tirando fotos. As vans dos canais de televisão estavam estacionadas dos dois lados do quarteirão com as antenas no teto e cabos serpenteando para todos os lados. Havia até um helicóptero do Channel 4 no ar.

— Olha — falei. — Stacy-Anne Conway! Ela é do NY1!

— Pergunta se eu ligo pra isso — disse Liz.

Eu não perguntei.

Tivemos sorte de não dar de cara com repórteres no Central Park e no City of Angels, e me dei conta de que o único motivo para isso era que estavam todos ali. Olhei para Liz e vi uma lágrima escorrendo por uma bochecha dela.

— Talvez a gente possa ir ao enterro dele. Pode ser que ele esteja lá.

— É provável que ele seja cremado. Em particular, por conta da cidade. Sem parentes. Ele viveu mais do que todos. Vou te levar pra casa, campeão. Desculpa por te arrastar até aqui.

— Tudo bem — falei, e dei um tapinha na mão dela. Eu sabia que a minha mãe não ia gostar de eu fazer isso, mas minha mãe não estava lá.

Liz deu meia-volta e seguiu na direção da ponte de Queensboro. A um quarteirão de Frederick Arms, olhei para um mercadinho e falei:

— Ah, meu Deus. Ali está ele.

Ela virou o rosto para mim com os olhos arregalados.

— Tem certeza? Tem *certeza*, Jamie?

Eu me inclinei para a frente e vomitei entre os tênis. Essa foi toda a resposta de que ela precisou.

24

Não sei dizer se ele estava tão ruim quanto o cara do Central Park, aquilo tinha sido muito tempo antes. Talvez ele estivesse pior. Depois que você vê o que pode acontecer com um corpo humano que sofreu um ato de violência — um acidente, um suicídio, um assassinato — talvez não importe mais. Kenneth Therriault, também conhecido como Thumper, estava péssimo, o.k.? Péssimo de verdade.

Havia bancos dos dois lados do mercado, para as pessoas poderem comer as coisas que compravam lá dentro, acho. Therriault estava sentado em um deles com as mãos nas coxas da calça cáqui. As pessoas estavam passando, indo para seus destinos. Um garoto negro com um skate embaixo do braço entrou no mercado. Uma mulher saiu com um copo de papel cheio de café soltando fumaça. Nenhum dos dois olhou para o banco onde Therriault estava sentado.

Ele devia ser destro, porque aquele lado da cabeça dele não estava tão ruim. Havia um buraco na têmpora do tamanho de uma moeda de dez centavos, talvez um pouco menor, cercado de uma coroa preta que era um hematoma ou pólvora. Provavelmente pólvora. Duvido que o corpo dele tenha tido tempo de acumular sangue no local para formar um hematoma.

O verdadeiro dano estava do lado esquerdo, por onde a bala tinha saído. O buraco daquele lado era quase do tamanho de um prato de sobremesa e estava cercado de pontas irregulares de osso. A carne da cabeça estava inchada, como se ele tivesse uma infecção gigante. O olho esquerdo tinha sido empurrado para o lado e saltava da órbita. O pior de tudo era que tinha uma coisa cinza escorrendo pela bochecha. Era o cérebro dele.

— Não para — falei. — Segue em frente. — O cheiro de vômito estava forte no meu nariz e o gosto ainda estava na minha boca, grudento. — Por favor, Liz, eu não consigo.

Ela parou em frente a um hidrante perto do fim do quarteirão.

— Você precisa fazer isso. E eu também preciso. Desculpa, campeão, mas nós temos que saber. Segura a onda aí pras pessoas não olharem pra nós e acharem que estou abusando de você.

Mas está, pensei. *E você não vai parar enquanto não conseguir o que quer.*

O gosto na minha boca era do ravióli que eu tinha comido no refeitório da escola. Assim que percebi isso, abri a porta, me inclinei e vomitei mais um pouco. Como no dia do homem do Central Park, quando não cheguei a ir à festa da Lily no chiquérrimo Wave-Hill. Aquele era um déjà-vu de que eu não precisava.

— Campeão? *Campeão?*

Eu me virei para ela, e ela estava me oferecendo um bolinho de Kleenex (me mostra uma mulher sem lenço de papel na bolsa e eu te mostro que isso não existe).

— Limpa a boca e sai do carro. Tenta parecer normal. Vamos fazer logo isso.

Eu entendi o que ela queria dizer: nós não íamos embora enquanto ela não tivesse o que queria. *Seja homem*, pensei. *Eu consigo fazer isso. Tenho que fazer, porque tem vidas em jogo.*

Eu limpei a boca e saí do carro. Liz botou o papelzinho no painel, a versão policial da carta "Saída livre da prisão", e foi até onde eu estava na calçada, olhando dentro de uma lavanderia automática, onde uma mulher estava dobrando roupas. Não era uma visão interessante, mas pelo menos me impediu de olhar para o homem dilacerado na rua. Ao menos por aquele momento. Em pouco tempo, eu teria que fazer isso. Pior ainda, ah, Deus. Eu teria que falar com ele. Isso se ele *conseguisse* falar.

Eu estiquei a mão sem pensar. Treze anos provavelmente era velho demais para andar de mãos dadas com uma mulher que as pessoas suporiam que era minha mãe (se parassem para pensar sobre nós), mas, quando ela segurou a minha mão, fiquei aliviado. Aliviado pra caramba.

Nós fomos na direção da loja. Eu queria que tivéssemos quilômetros pra andar, mas era só meio quarteirão.

— Onde ele está exatamente? — ela perguntou em voz baixa.

Arrisquei um olhar para ter certeza de que ele não tinha se movido. Não, ele ainda estava no banco, e agora eu podia olhar diretamente para a cratera que já tinha sido o lar dos pensamentos dele. A orelha ainda estava no lugar, mas estava torta, e me lembrei de repente do Senhor Cabeça de Batata que eu tinha aos quatro ou cinco anos. Meu estômago se contraiu de novo.

— Segura a onda, campeão.

— Não me chama mais disso — consegui dizer. — Eu odeio.

— Registrado. Onde ele está?

— Sentado no banco.

— Deste lado da porta ou...

— Deste lado, sim.

Eu estava olhando para ele de novo, estávamos tão perto agora que não dava para não olhar, e vi uma coisa interessante. Um homem saiu do mercado com um jornal debaixo do braço e um cachorro-quente na mão. O cachorro-quente estava em um daqueles sacos de papel-alumínio que servem para que fiquem quentes (quem acredita nisso também acredita que a lua é feita de queijo). Ele ia se sentar no outro banco, já estava tirando o cachorro-quente do saco. Mas parou, olhou para mim e para Liz ou para o outro banco e seguiu pelo quarteirão para comer em outro lugar. Ele não viu Therriault; teria corrido se tivesse visto, provavelmente gritando. Mas acho que ele *sentiu*. Não, eu não só acho, eu sei. Eu queria ter prestado mais atenção na ocasião, mas eu estava chateado, como sei que você vai entender. Se não entender, você é idiota.

Therriault virou a cabeça. Foi um alívio porque o movimento escondeu boa parte do ferimento de saída da bala. Não foi um alívio porque o rosto dele estava normal de um lado e todo inchado e deformado do outro, como aquele Duas-Caras dos quadrinhos do Batman. O pior de tudo foi que ele olhou para mim.

Eu os vejo e eles sabem que eu os vejo. Sempre foi assim.

— Pergunta onde está a bomba — disse Liz. Ela estava falando com o canto da boca, como um espião de filme de comédia.

Uma mulher com um bebê em um canguru surgiu na calçada. Ela me olhou com desconfiança, talvez porque eu parecesse estranho ou porque estava com cheiro de vômito. Talvez as duas coisas. Eu já tinha passado do ponto de me importar. Só queria fazer o que Liz Dutton me levou lá para fazer e pular fora. Esperei até a mulher com o bebê entrar na loja.

— Onde está a bomba, sr. Therriault? A última bomba?

Ele não respondeu de primeira e eu estava pensando *Beleza, ele estourou os miolos, está aqui, mas não consegue falar e fim.* Mas aí ele falou. As palavras não combinaram exatamente com os movimentos da boca e me ocorreu que ele estava falando de outro lugar. Era como se fosse um delay de tempo direto do inferno. Isso me deixou cagando de medo. Se eu soubesse que foi nessa hora que uma coisa horrível surgiu nele e tomou o controle, teria sido bem pior. Mas eu *sei*? Tenho certeza? Não, mas quase.

— Não quero te contar.

Isso me deixou tão surpreso que fiquei sem palavras. Eu nunca tinha recebido uma resposta assim de uma pessoa morta. Era verdade que minha experiência era limitada, mas, até aquele momento, eu teria dito que eles tinham que falar a verdade sempre.

— O que ele disse? — perguntou Liz. Ainda falando com o canto da boca.

Eu a ignorei e falei com Therriault de novo. Como não tinha ninguém por perto, eu falei mais alto, enunciando cada palavra da forma como fazia para uma pessoa surda ou que entendia só um inglês muito básico. — Onde... está... a última... bomba?

Eu também teria dito que os mortos não sentem dor, que já passaram disso, e Therriault não parecia estar sofrendo do ferimento cataclísmico autoinfligido na cabeça, mas agora o rosto meio inchado se contorceu, como se eu o estivesse queimando ou enfiando uma faca na barriga em vez de só fazendo uma pergunta.

— Eu não quero *contar!*

— O que ele... — Liz começou a falar de novo, mas a mulher com o bebê saiu nessa hora. Ela estava segurando um bilhete da loteria. O bebê no canguru estava com um pedaço de KitKat sujando o rosto todo. Mas ele olhou para o banco onde Therriault estava sentado e começou a chorar. A mãe devia achar que o filho tinha olhado para mim porque me olhou de novo com uma megadesconfiança e saiu andando mais rápido.

— Campeão... quer dizer, Jamie...

— Cala a boca — falei. E, em seguida, porque minha mãe me odiaria por falar com qualquer adulto assim: — Por favor.

Olhei de novo para Therriault. A careta de dor dele fez o rosto destruído ficar mais destruído do que nunca, e na mesma hora decidi que não me importava. Ele tinha ferido tanta gente que dava para encher uma ala de hospital, tinha matado gente, e se o bilhete que ele tinha prendido no casaco não era mentira, tinha morrido tentando matar ainda mais. Concluí que eu *queria* que ele estivesse sofrendo.

— Onde... está... seu... filho da puta?

Ele fechou as mãos na frente da barriga, inclinado como se estivesse com cólica intestinal, e gemeu. Mas cedeu.

— No King Kullen. No supermercado King Kullen de Eastport.

— Por quê?

— Pareceu certo terminar onde eu tinha começado — disse ele, e desenhou um círculo no ar com o dedo. — Pra completar o círculo.

— Não, por que você fez isso? Por que botou as bombas?

Ele sorriu, e sabe o jeito como o sorriso contraiu o lado inchado da cara dele? Eu ainda vejo e nunca vou conseguir desver.

— Porque sim.

— Porque sim o quê?

— Porque eu tive vontade — disse ele.

25

Quando contei a Liz tudo que Therriault tinha dito, ela ficou empolgada e mais nada. Eu entendia, não foi ela que teve que olhar para um homem que tinha estourado quase um lado inteiro da cabeça. Ela me disse que tinha que entrar no mercado para comprar uma coisa.

— Você vai me deixar aqui com *ele*?

— Não. Volta pela rua. Espera junto do carro. Só vou levar um minuto.

Therriault estava sentado ali me olhando com o olho que estava mais ou menos regular e com o olho que estava todo esticado. Eu sentia o olhar dele. Fez com que eu me lembrasse da vez que fui a um acampamento e peguei pulga e tive que usar um xampu especial fedorento umas cinco vezes até elas terem sumido todas.

Nenhum xampu ia resolver a sensação que Therriault provocou em mim, só ir para longe dele faria isso, então fiz o que Liz mandou. Andei até a lavanderia e olhei para a mulher lá dentro, ainda dobrando roupas. Ela me viu e acenou. Isso trouxe de volta à mente a garotinha com o buraco na garganta e o jeito como *ela* acenou para mim, e por um momento horrível achei que a mulher da lavanderia também estava morta. Só que uma pessoa morta não estaria dobrando roupas, só ficaria parada. Ou sentada, como Therriault. Por isso, acenei de volta para ela. E até tentei sorrir.

Em seguida, me virei de volta para a loja. Falei para mim mesmo que era para ver se a Liz já estava vindo, mas não foi por isso. Eu queria ver se Therriault ainda estava me olhando. E estava. Ele levantou a mão com a palma para cima, três dedos dobrados sobre a palma, um dedo apontando. Ele o dobrou uma e duas vezes. Lentamente. *Vem aqui, garoto.*

Eu voltei andando, as pernas parecendo se mover por vontade própria. Eu não queria, mas parecia que não conseguia evitar.

— Ela não liga pra você — disse Kenneth Therriault. — Nem um pouco. Nem um *tiquinho*. Ela está te usando, garoto.

— Foda-se, nós vamos salvar vidas. — Não tinha ninguém passando, mas, se tivesse, ele ou ela não teria me ouvido. Ele tinha roubado minha voz e só deixado um sussurro.

— Ela só quer salvar o emprego.

— Você não sabe, você não passa de um psicopata qualquer. — Ainda só um sussurro, e senti que estava quase mijando na calça.

Ele não disse nada, só sorriu. Essa foi a resposta.

Liz saiu. Ela estava com uma daquelas sacolas plásticas vagabundas que davam nos mercados na época. Ela olhou para o banco, onde o homem deformado que ela não conseguia ver estava sentado, e para mim.

— O que você está fazendo aqui, cam... Jamie? Eu falei pra você ir para o carro. — Antes que eu pudesse responder, com rapidez e severidade, como se eu fosse um criminoso em um programa policial, na sala de interrogatório: — Ele falou mais alguma coisa?

Só que você só quer salvar seu emprego, pensei em dizer. *Mas acho que eu já sabia disso.*

— Não. Quero ir pra casa, Liz.

— Nós já vamos. Já vamos. Assim que eu fizer mais uma coisa. Duas, na verdade. Também tenho que limpar sua sujeira do meu carro. — Ela passou o braço nos meus ombros (como uma boa mãe faria) e me levou andando até a lavanderia. Eu teria acenado para a moça dobrando roupas de novo, mas ela estava de costas.

— Eu armei uma coisa. Não achei que fosse ter a oportunidade de usar, mas graças a você...

Quando chegamos no carro, ela tirou um celular de flip da sacola. Ainda estava na embalagem. Eu encostei na vitrine de um sapateiro e a vi mexer até conseguir ligar. Eram quatro e quinze. Se minha mãe fosse beber com a Barbara, nós ainda poderíamos chegar antes de ela voltar... mas será que eu conseguiria guardar as aventuras da tarde só para mim? Eu não sabia e, naquele momento, não me pareceu importante. Eu queria que Liz tivesse pelo menos levado o carro até depois da esquina, achava que ela podia muito bem continuar sentindo o cheiro do meu vômito por mais um tempo depois do que fiz por ela, mas ela estava animada demais. Além do mais, tinha a bomba a considerar. Pensei em todos os filmes que tinha visto em que o relógio está fazendo a contagem regressiva e o herói está pensando se deve cortar o fio vermelho ou o azul.

Agora, ela estava ligando.

— Colton? Sim, sou eu... cala a boca e escuta. Está na hora de agir. Você me deve um favor, um favor grande, e é agora que eu vou cobrar. Vou te dizer exatamente o que dizer. Grava e... *eu falei cala a boca!*

Ela falou com tanta maldade na voz que dei um passo para trás. Eu nunca tinha ouvido Liz falar assim e percebi que a estava vendo pela primeira vez em sua outra vida. A vida policial, na qual ela lidava com filhos da puta trapaceiros o tempo todo.

— Grava, depois escreve e me liga de volta. Faça isso agora mesmo.

Ela esperou, dei uma olhada na direção da loja. Os dois bancos estavam vazios. Isso devia ter sido um alívio, mas não me senti aliviado.

— Está pronto? Tudo bem. — Liz fechou os olhos e isolou tudo, menos o que ela queria dizer. Ela falou lenta e cuidadosamente. — "Se Ken Therriault era mesmo Thumper..." Vou interromper aí e dizer que quero gravar. Você espera até eu dizer "Tudo bem, começa de novo". Entendeu? — Ela escutou até Colton, quem quer que fosse, dizer que tinha entendido. — Você diz: "Se Ken Therriault era mesmo Thumper, ele vivia falando em terminar onde tinha começado. Estou ligando porque a gente conversou em 2008. Eu guardei seu cartão". Anotou isso? — Outra pausa. Liz assentiu. — Que bom. Vou perguntar quem é e você desliga. Desliga na mesma hora, o tempo é essencial. Se você fizer merda, vou te foder de vez. Você sabe que eu posso fazer isso.

Ela encerrou a ligação. Andou de um lado para o outro da calçada. Dei outra olhada na direção dos bancos. Vazios. Talvez Therriault, o que quer que tivesse restado dele, estivesse indo para casa, para ver como estava a cena no bom e velho Frederick Arms.

A batida de "Rumor Has It" soou no bolso do blazer da Liz. Ela pegou o celular que era o dela mesmo e atendeu. Ouviu e disse:

— Espera, quero gravar isso. — Ela começou a gravar e falou: — Tudo bem, começa de novo.

Quando o roteiro foi todo executado, ela encerrou a ligação e guardou o celular.

— Não é tão sólido quanto eu gostaria, mas alguém vai ligar?

— Provavelmente não depois que encontrarem a bomba — falei. Liz levou um pequeno susto e percebi que ela estava falando sozinha. Agora que eu tinha feito o que ela queria, eu não passava de um estorvo.

Ela tinha um rolo de toalhas de papel e uma lata de aromatizador de ambientes na bolsa. Ela limpou meu vômito, jogou no bueiro (a multa para jogar lixo no chão é de cem dólares, descobri depois) e borrifou o carro com uma coisa que tinha cheiro de flores.

— Entra — disse ela.

Eu estava de costas para não ter que olhar para o que restava do meu ravióli do almoço (no que dizia respeito a limpar a sujeira, eu achava que ela me devia aquilo), mas, quando me virei para entrar no carro, vi Kenneth Therriault parado junto ao porta-malas. Tão perto que dava para esticar a mão e tocar em mim, e ainda sorrindo. Eu poderia ter gritado, mas, quando o vi, eu estava entre uma respiração e outra e meu peito não conseguiu se expandir para a inspiração seguinte. Foi como se todos os meus músculos tivessem ficado dormentes.

— A gente se vê — disse Therriault. O sorriso se alargou e vi um pedaço de sangue coagulado entre os dentes e a bochecha. — *Campeão.*

26

Nós só seguimos por três quarteirões e ela parou de novo. Ela pegou o celular (o de verdade, não o descartável), depois me olhou e viu que eu estava tremendo. Acho que um abraço teria feito bem naquele momento, mas só ganhei um tapinha no ombro, supostamente de solidariedade.

— É uma reação retardada, moleque. Sei bem como é. Vai passar.

Ela fez uma ligação, se identificou como detetive Dutton e pediu para falar com Gordon Bishop. Ela devia ter ouvido que ele estava trabalhando, porque disse:

— Não quero saber se ele está em Marte. Passa a ligação. Isso é Prioridade Um.

Ela esperou, batendo com os dedos da mão livre no volante. Em seguida, se empertigou.

— É Dutton, Gordo... não, sei que não, mas você precisa ouvir isso. Acabei de receber uma dica sobre Therriault vinda de uma pessoa que entrevistei quando *estava* nela... não, não sei quem. Você precisa olhar o King Kullen de Eastport... onde ele começou, isso mesmo. Faz certo sentido, se pararmos pra pensar. — Ela ouviu. — Você está brincando? Quantas pessoas a gente entrevistou na época? Cem? Duzentas? Escuta, vou botar a mensagem pra você ouvir. Eu gravei. Isso supondo que meu telefone tenha funcionado.

Ela sabia que tinha gravado; ela verificou no trajeto curto de três quarteirões. Ela tocou a mensagem para ele e, quando acabou, falou:

— Gordo? Você... merda. — Ela encerrou a ligação. — Ele desligou. — Liz abriu um sorriso seco. — Ele odeia minha fuça, mas vai conferir. Ele sabe que a culpa vai ser dele se não verificar.

O detetive Bishop verificou, porque, àquela altura, eles tinham tido tempo de começar a remexer no passado de Kenneth Therriault e encontrado uma pérola que se destacou à luz da "dica anônima" da Liz. Bem antes da carreira na construção e da carreira pós-aposentadoria como funcionário do City of Angels, Therriault cresceu na cidade de Westport, que é, claro, ao lado de Eastport. Quando estava no último ano do ensino médio, ele trabalhou como empacotador e estoquista no King Kullen. Onde foi pego furtando. Na primeira vez que foi pego, Therriault recebeu um aviso. Na segunda, foi preso. Mas parece que roubar era um hábito difícil de largar.

Mais tarde, ele passou a roubar dinamite e detonadores. Um bom estoque de ambos foi encontrado depois em um depósito no Queens. Tudo velho, tudo do Canadá. Acho que as revistas de fronteira eram bem menos minuciosas naquela época.

— A gente pode ir pra casa agora? — pedi a Liz. — Por favor.

— Pode. Você vai contar pra sua mãe sobre isso?

— Não sei.

Ela sorriu.

— Foi uma pergunta retórica. Claro que vai. E tudo bem, não me incomoda nadinha. Sabe por quê?

— Porque ninguém acreditaria.

Ela deu um tapinha na minha mão.

— Isso aí, campeão. Na mosca.

27

Liz me deixou na esquina e saiu em disparada. Eu andei até nosso prédio. Minha mãe e Barbara não tinham ido tomar um drinque, no fim das contas, Barb estava resfriada e disse que ia para casa direto depois do trabalho. Minha mãe estava na escada da frente com o celular na mão.

Ela desceu correndo quando me viu chegando e me agarrou em um abraço apavorado que me tirou todo o ar.

— Onde caralhos você estava, James? — Ela só me chamava assim quando estava superputa da vida, como você já pode ter imaginado. — Como você pôde agir com tanta desconsideração? Eu liguei pra *todo mundo* e estava começando a achar que você tinha sido sequestrado. Até pensei em ligar...

Ela parou de me abraçar e me segurou com os braços esticados. Vi que ela tinha chorado e que estava começando a chorar de novo, e isso fez eu me sentir muito mal, apesar de nada ter sido minha culpa. Acho que só a mãe da gente provoca essa sensação de sermos piores do que merda de baleia.

— Foi a Liz? — E, sem esperar resposta: — Foi. — E, com uma voz baixa e mortal. — Aquela *filha da puta*.

— Eu tive que ir com ela, mãe. Tive mesmo.

E comecei a chorar também.

28

Nós subimos. Minha mãe fez café e me deu uma xícara. Foi a minha primeira, e sou doido por café desde esse dia. Contei quase tudo para ela. Que Liz ficou me esperando na frente da escola. Que me disse que vidas dependiam de encontrarmos a última bomba do Thumper. Que fomos ao hospital e ao prédio do Therriault. Até contei como Therriault estava horrível com a cabeça explodida e deformada de um lado. O que eu não contei foi que me virei e o vi parado atrás do carro da Liz, tão perto que poderia ter segurado meu braço... se as pessoas mortas *pudessem* segurar, uma coisa que eu não queria descobrir, de qualquer modo. E não contei para ela o que ele disse, mas, naquela noite, quando fui para a cama, ficou ecoando na minha cabeça como um sino quebrado: "A gente se vê... *campeão*".

Minha mãe ficou dizendo *tudo bem* e *eu entendo*, só que cada vez parecendo mais abalada. Mas ela devia saber o que estava acontecendo em Long Island, e eu também. Ela ligou a televisão e nós nos sentamos no sofá para assistir. Lewis Dodley, do NY1, estava fazendo uma reportagem de rua com cavaletes da polícia bloqueando o local.

— A polícia parece estar levando a dica a sério — disse ele. — De acordo com uma fonte no Departamento de Polícia do Condado de Suffolk...

Eu me lembrei do helicóptero de televisão sobrevoando o Frederick Arms e concluí que devia ter dado tempo de ir até Long Island, então peguei o controle remoto no colo da minha mãe e mudei para o Channel 4. E, realmente, lá estava o teto do supermercado King Kullen. O estacionamento estava cheio de viaturas da polícia. Perto da entrada principal havia uma van grande que devia ser do Esquadrão Antibombas. Vi dois policiais com capacete e dois cachorros de coleira entrando. O helicóptero estava alto demais e não dava para ver se os policiais do Esquadrão Antibombas estavam de coletes à prova de balas e armaduras além dos capacetes, mas tenho certeza de que sim. Mas não os cachorros. Se a bomba do Thumper explodisse quando eles estivessem lá dentro, os cachorros virariam mingau.

O repórter do helicóptero estava dizendo:

— Nos disseram que todos os clientes e funcionários foram evacuados com segurança. Apesar da possibilidade de ser só mais um alarme falso, e houve muitos durante o reinado de terror do Thumper — (pois é, ele realmente disse isso) —, levar essas coisas a sério sempre é o caminho mais inteligente. Nós só sabemos que esse foi o local da primeira bomba do Thumper e que nenhuma bomba foi encontrada ainda. De volta ao estúdio.

A imagem atrás dos âncoras mostrava Therriault, talvez a foto do documento do hospital City of Angels, porque ele estava bem velho. Ele não era nenhum astro de cinema, mas estava com uma aparência bem melhor do que quando estava sentado naquele banco. A dica inventada da Liz podia não ter sido levada tão a sério se não tivesse feito os detetives mais velhos do departamento lembrarem um caso da infância deles, o de George Metesky, chamado de Mad Bomber pela imprensa. Metesky plantou trinta e três bombas-tubo durante seu reinado de terror, que durou de 1940 a 1956, e a semente foi um ressentimento parecido, no seu caso contra a Consolidated Edison.

Algum pesquisador ágil do departamento de notícias também fez a conexão, e o rosto de Metesky apareceu em seguida ao fundo, atrás dos âncoras, mas minha mãe não se importou de olhar para o cara velho... que achei estranhamente parecido com Therriault usando o uniforme de funcionário do hospital. Ela pegou o celular e foi murmurando até o quarto atrás do caderno de telefones, supostamente por ter apagado o número da Liz depois da discussão delas sobre a *coisa séria*.

Passou um comercial de um remédio e fui até a porta do quarto dela para ouvir. Se tivesse esperado, não teria ouvido porra nenhuma, porque a ligação não durou quase nada.

— É Thia, Liz. Escuta e não fala uma palavra. Vou guardar segredo disso por motivos que deveriam ser óbvios pra você. Mas, se você algum dia incomodar meu filho de novo, se ele só precisar te *ver*, vou acabar com a sua vida até não sobrar nada. Você sabe que eu consigo. Só precisaria de um empurrãozinho. *Fica longe do Jamie.*

Voltei correndo para o sofá e fingi estar absorto no comercial seguinte. O que acabou sendo tão inútil quanto um touro com tetas.

— Você ouviu?

Os olhos dela estavam ardendo, me mandando não mentir. Eu assenti.

— Que bom. Se você a vir de novo, foge correndo. Pra casa. E me conta. Entendeu?

Eu assenti de novo.

— Tudo bem, tá, tá, tá. Vou pedir comida. Quer pizza ou chinesa?

29

A polícia encontrou e desarmou a última bomba do Thumper naquela noite de quarta, por volta das oito horas. Minha mãe e eu estávamos vendo *Pessoa de Interesse* na televisão quando a estação interrompeu a transmissão com um boletim especial. Os cães farejadores fizeram muitas buscas sem encontrarem nada, e os agentes do Esquadrão Antibombas estava prestes a levá-los embora quando um deles deu o alerta no corredor de utensílios domésticos. Eles tinham passado por lá várias vezes, e não havia espaço nas prateleiras para esconder uma bomba, mas um dos policiais por acaso olhou para cima e viu um dos painéis do teto meio fora de lugar. A bomba estava lá, entre o teto e o telhado. Estava presa a uma viga com um fio elástico laranja, do tipo usado em bungee-jump.

Therriault apostou tudo naquela: dezesseis bananas de dinamite e uns doze detonadores. Ele já tinha deixado os despertadores para trás; a bomba estava presa a um timer digital bem parecido com os dos filmes em que estive pensando (um dos policiais tirou uma foto depois que foi desarmado e apareceu no *New York Times* do dia seguinte). Estava programado para explodir às 17h da sexta-feira, quando a loja estava sempre mais cheia. No dia seguinte, no NY1 (estávamos de volta ao canal favorito da minha mãe), um dos caras do Esquadrão Antibombas disse que teria derrubado o teto inteiro. Quando perguntaram quantas pessoas teriam sido mortas com uma explosão daquelas, ele só balançou a cabeça.

Naquela noite de quinta, enquanto estávamos jantando, minha mãe falou:

— Você fez uma coisa boa, Jamie. Uma coisa *incrível*. A Liz também, apesar dos motivos que ela pode ter tido. Isso me faz pensar em uma coisa que o Marty disse uma vez. — Ela estava falando do sr. Burkett, na verdade prof. Burkett, ainda emérito e ainda bem vivo.

— O que ele disse?

— "Às vezes, Deus usa uma ferramenta quebrada." Era de um dos escritores ingleses antigos da aula que ele dava.

— Ele sempre me pergunta o que estou aprendendo na escola e sempre balança a cabeça como se achasse que minha educação está sendo péssima.

Minha mãe riu.

— Aquele é um homem *explodindo* de tanto conhecimento, ainda afiado, com a cabeça perfeita. Lembra quando fizemos a ceia de Natal com ele?

— Claro. Com sanduíche de peru e molho de cranberry, o melhor! E chocolate quente!

— É, foi uma noite boa. Vai ser uma pena quando ele falecer. Come tudo, tem torta de maçã crocante de sobremesa. A Barbara que fez. E Jamie?

Eu olhei para ela.

— Podemos não falar mais disso? Tipo... deixar pra trás?

Achei que ela não estava falando só sobre a Liz, nem só sobre Therriault; ela estava falando também sobre eu ver gente morta. Era o que nosso professor de computação chamaria de *pedido global*, e, por mim, tudo bem. Mais que tudo bem.

— Claro.

Naquele momento, sentado na mesinha iluminada da cozinha comendo pizza, eu achei mesmo que dava para deixar para trás. Só que eu estava enganado. Só voltei a ver Liz Dutton dois anos depois e quase nem pensei nela, mas vi Ken Therriault naquela noite mesmo.

Eu falei no começo que essa história é de terror.

30

Eu estava quase dormindo quando dois gatos começaram a miar como loucos e despertei em um sobressalto. Nós morávamos no quinto andar e eu talvez não tivesse ouvido, nem a barulheira de latas de lixo que veio depois, se a minha janela não estivesse aberta para entrar ar fresco. Eu me levantei para fechar e parei com as mãos na base da janela. Therriault estava parado do outro lado da rua, em uma área iluminada pela luz de um poste, e eu soube na mesma hora que não foi briga que fez os gatos miarem. Eles miaram de medo. O bebê no canguru o viu; os gatos também. Ele assustou os gatos de propósito. Sabia que eu iria até a janela, assim como sabia que Liz me chamava de campeão.

Ele sorriu com aquela cabeça semidestruída.

Ele me chamou com a mão.

Eu fechei a janela e pensei em ir para o quarto da minha mãe dormir com ela, só que eu estava grande demais para isso, e ela faria perguntas.

Então, em vez disso, fechei a persiana. Voltei para a cama e fiquei deitado olhando a escuridão. Nunca tinha acontecido nada assim. Nenhuma pessoa morta havia me seguido até em casa, como a porra de um cachorro de rua.

Não importa, pensei. *Em três ou quatro dias ele vai sumir, como todos somem. Uma semana, no máximo. E ele nem pode te fazer mal de verdade.*

Mas eu tinha como ter certeza? Deitado no escuro, me dei conta de que não sabia. *Ver* pessoas mortas não queria dizer *conhecer* pessoas mortas.

Eu finalmente voltei para a janela e espiei pela fresta da persiana, com a certeza de que ele ainda estaria lá. Talvez ele até me chamasse de novo. Um dedo esticado... e se curvando. *Vem cá. Vem pra mim, campeão.*

Não tinha ninguém na luz do poste. Ele tinha ido embora. Voltei para a cama, mas demorei muito para dormir.

31

Eu o vi de novo na sexta, em frente à escola. Havia alguns pais esperando os filhos (sempre tem às sextas, provavelmente por eles estarem indo viajar no fim de semana) e ninguém viu Therriault, mas devem ter sentido, porque todo mundo passava longe do lugar onde ele estava. Ninguém estava empurrando um carinho de bebê, mas, se estivesse, eu sabia que o bebê estaria olhando para o lugar vazio na calçada e chorando de berrar.

Voltei para dentro da escola e olhei alguns pôsteres em frente à diretoria, me perguntando o que fazer. Acho que eu teria que falar com ele, descobrir o que ele queria, e decidi fazer isso naquela hora mesmo, enquanto ainda havia gente ao redor. Eu achava que ele não poderia me machucar, mas não *sabia*.

Fui ao banheiro masculino primeiro porque, de repente, precisava fazer xixi, mas, quando parei na frente do mictório, não consegui produzir nem uma gota. Então, saí, segurando a mochila pela alça em vez de pendurada nas costas. Eu nunca tinha sido tocado por uma pessoa morta, nunquinha, mas, se Therriault tentasse tocar em mim (ou me segurar) eu pretendia bater nele com a mochila cheia de livros.

Só que ele tinha sumido.

Uma semana se passou, e duas. Eu relaxei, achando que ele devia ter passado do prazo de validade.

Eu era da equipe júnior de natação da ACM e, em um sábado do fim de maio, tivemos nosso treino final para uma competição que aconteceria no Brooklyn no fim de semana seguinte. Minha mãe me deu dez dólares para comer alguma coisa depois e me disse (como sempre dizia) para não esquecer de trancar o armário, para ninguém roubar meu dinheiro ou meu relógio (apesar de eu não ter ideia de por que alguém ia querer roubar um Timex vagabundo). Eu perguntei se ela ia à competição. Ela ergueu o olhar do manuscrito que estava lendo e disse:

— Pela quarta vez, Jamie, *sim*. Eu vou à competição. Está na minha agenda.

Era só a segunda vez que eu perguntava (talvez a terceira), mas eu não disse nada, só beijei a bochecha dela e segui pelo corredor até o elevador. Quando a porta se abriu, Therriault estava lá, sorrindo daquele jeito e me olhando com o olho bom e com o saltado.

— Sua mãe tem câncer, campeão. Por causa dos cigarros. Ela vai morrer em seis meses.

Fiquei paralisado com a boca aberta.

A porta do elevador se fechou. Fiz um som que foi meio guincho, meio gemido, sei lá, e me apoiei na parede para não cair.

Eles têm que falar a verdade, pensei. *Minha mãe vai morrer.*

Mas meus pensamentos se organizaram um pouco e um pensamento melhor surgiu. Eu me agarrei a ele como um homem se afogando se agarra a um pedaço de madeira que flutua. *Mas talvez eles só precisem dizer a verdade quando a gente faz perguntas. Pode ser que eles possam contar qualquer porra de mentira que quiserem se não for assim.*

Eu não queria mais ir ao treino de natação, mas, se eu não fosse, o treinador poderia acabar ligando para a minha mãe para saber onde eu estava. Aí, *ela* ia querer saber onde eu estava, e o que eu ia dizer? Que estava com medo do Thumper estar me esperando na esquina? No saguão da ACM? Ou (a perspectiva mais horrível) no vestiário, invisível para os meninos pelados tirando o excesso de cloro no chuveiro?

Eu tinha que dizer pra ela que ela tinha *câncer*, porra?

Por isso, eu fui. E, como você pode imaginar, nadei mal pra caralho. O treinador me mandou ajeitar a posição da cabeça e eu precisei beliscar o sovaco para não cair no choro. Precisei beliscar com força.

Quando cheguei em casa, minha mãe ainda estava mergulhada no manuscrito. Eu não a via fumando desde que a Liz foi embora, mas sabia que ela às vezes bebia quando eu não estava, com os autores e vários editores, e inspirei fundo quando a beijei, mas não senti nenhum cheiro além de um pouco de perfume. Ou talvez creme hidratante, porque era sábado. Alguma coisa de mulher, pelo menos.

— Está ficando resfriado, Jamie? Você se secou direito depois de nadar, né?

— Me sequei. Mãe, você não fuma mais, né?

— Então é *isso*. — Ela botou o manuscrito de lado e se alongou. — Não, eu não fumei nenhum cigarro desde que a Liz foi embora.

Desde que você a expulsou, pensei.

— Você foi ao médico recentemente? Fazer checkup?

Ela me olhou sem entender.

— Por que você está falando isso? Você está com aquela ruguinha entre as sobrancelhas.

— Bom, você é a única pessoa que eu tenho. Se acontecesse alguma coisa com você, eu não poderia ir morar com o tio Harry, né?

Ela fez uma careta, riu e me abraçou.

— Eu estou bem, moleque. Fiz o checkup anual dois meses atrás, na verdade. Passei com louvor.

E ela afastou o olhar. No auge da saúde, como dizem. Não tinha perdido mais peso e não estava tossindo até quase cuspir os pulmões. Se bem que o câncer não precisava só estar na garganta ou nos pulmões da pessoa, eu sabia disso.

— Ah… que bom. Fico feliz.

— Somos dois. Agora faz um café pra sua mãe e me deixa terminar esse manuscrito.

— É bom?

— É muito bom, sim.

— Melhor do que os livros do sr. Thomas sobre Roanoke?

— Bem melhor, mas não tão comercial.

— Posso tomar café?

Ela suspirou.

— Meia xícara. Agora, me deixa ler.

32

Durante minha última prova de matemática daquele ano, olhei pela janela e vi Kenneth Therriault parado na quadra de basquete. Ele repetiu o de sempre, sorriu e me chamou com o dedo. Olhei para o papel e voltei a olhar para fora. Ele ainda estava lá, só que mais perto. Ele virou a cabeça e pude dar uma boa olhada na cratera roxa e preta, e também nas presas de osso projetadas ao redor. Olhei para o papel de novo e, quando ergui o rosto na direção do lado de fora pela terceira vez, ele tinha sumido. Mas eu sabia que voltaria. Ele não era como os outros. Não era *nada* como os outros.

Quando o sr. Laghari nos mandou virar a prova para baixo, eu ainda não tinha resolvido os últimos cinco problemas. Tirei D- na prova e havia um recadinho no alto: *Que decepcionante, Jamie. Você precisa se sair melhor. O que eu digo pelo menos uma vez em todas as aulas?* O que ele dizia era que quem ficava para trás em matemática nunca conseguia recuperar.

A matemática não era tão especial assim, apesar de o sr. Laghari achar que sim. Aquilo era verdade para a maioria das matérias. Como se para deixar isso bem claro, eu me afundei na prova de história no mesmo dia. Não porque Therriault estava parado perto do quadro nem nada, mas porque eu não conseguia parar de pensar que ele *poderia* estar parado perto do quadro.

Eu achava que ele *queria* que eu fosse mal nas matérias. Você pode rir disso, mas tem outra coisa que dizem por aí, de que não é paranoia se é verdade. Algumas provas ruins não iam me fazer repetir em tudo, não tão perto do fim do ano letivo, e depois viriam as férias de verão, mas e o ano seguinte? E se ele ainda estivesse rondando?

Tinha outra coisa: e se ele estivesse ficando mais forte? Eu não queria acreditar nisso, mas só o fato de ele ainda estar por perto sugeria que podia ser verdade. Que devia ser verdade.

Contar para alguém talvez ajudasse, e a minha mãe era a escolha lógica. Ela acreditaria, mas eu não queria assustá-la. Ela já tinha passado muito medo quando achou que a agência ia afundar e ela não conseguiria cuidar de mim e do irmão. O fato de eu a ter ajudado a sair do perrengue talvez a fizesse se culpar pelo que eu estava passando agora. Não fazia sentido para mim, mas talvez fizesse para ela. Além do mais, ela queria deixar essa coisa de ver gente morta para trás. E tem mais uma coisa: o que ela poderia fazer se eu *contasse*? Culpar Liz por me levar para falar com Therriault, mas mais nada.

Pensei brevemente em falar com a sra. Peterson, que era a orientadora da escola, mas ela ia supor que eu estava tendo alucinações, talvez um colapso nervoso. Ela ia contar para a minha mãe. Eu até pensei em procurar Liz, mas o que a Liz poderia fazer? Puxar a arma e atirar nele? Boa sorte nisso, já que ele já estava morto. Além do mais, minha história com a Liz tinha acabado, ou era o que eu achava. Eu estava por minha conta e era uma perspectiva solitária e assustadora.

Minha mãe foi à competição de natação, e eu nadei mal demais em todos os eventos. No caminho para casa, ela me abraçou e me disse que todo mundo tinha dias ruins e que eu me sairia bem na próxima vez. Eu quase contei tudo nessa hora, terminando com meu medo (que agora achava razoavelmente justificado) de Kenneth Therriault estar tentando destruir minha vida por estragar sua última e maior bomba. Se não estivéssemos em um táxi, eu talvez tivesse contado. Como estávamos, eu só apoiei a cabeça no ombro dela, como fiz quando era pequeno e achei que meu desenho de peru era a melhor obra de arte depois da *Mona Lisa*. Quer saber de uma coisa, a pior parte de crescer é como isso faz com que a gente cale a boca.

33

Quando saí do nosso apartamento no último dia de aula, Therriault estava novamente no elevador. Sorrindo e me chamando. Ele devia esperar que eu recuasse, como fiz na primeira vez que o vi lá, mas não fiz isso. Eu estava com medo, sim, mas não *tanto*, porque eu estava me acostumando com ele, da mesma forma que podemos nos acostumar com uma verruga ou um sinal no rosto, mesmo que fosse feio. Daquela vez, eu estava mais com raiva do que com medo, porque ele não me deixava em paz.

Em vez de recuar, eu dei um pulo para a frente e estiquei o braço para não deixar a porta do elevador fechar. Eu não ia entrar lá com ele, meu Deus, não! Mas não ia deixar a porta fechar enquanto ele não me desse umas respostas.

— A minha mãe está mesmo com câncer?

Mais uma vez, o rosto dele se retorceu como se eu o estivesse machucando, e mais uma vez esperei que estivesse mesmo.

— *A minha mãe está com câncer?*

— Não sei. — A forma como ele estava me olhando... sabe aquela expressão, se um olhar matasse?

— Então, por que você falou que estava?

Ele estava no fundo do elevador agora, com as mãos encostadas no peito, como se *eu* estivesse botando medo *nele*. Ele virou a cabeça e mostrou o ferimento de saída enorme, mas, se ele achava que aquilo ia me fazer soltar a porta e me afastar, ele estava enganado. Por mais horrível que fosse, eu já tinha me acostumado.

— *Por que você disse que estava?*

— Porque eu te odeio — disse Therriault, e mostrou os dentes.

— Por que você ainda está aqui? Como *pode* estar?

— Não sei.

— Vai embora.

Ele não disse nada.

— Vai *embora*!

— Eu não vou embora. Não vou embora nunca.

Isso me assustou pra cacete e meu braço relaxou e desceu para a lateral do corpo, como se estivesse pesado.

— A gente se vê, *campeão.*

A porta do elevador fechou, mas o elevador não se moveu porque não tinha ninguém para apertar um botão lá dentro. Quando apertei o botão do lado de fora, a porta se abriu e revelou um elevador vazio, mas fui de escada mesmo assim.

Vou me acostumar com ele, pensei. *Eu me acostumei com o buraco na cabeça dele e vou me acostumar com ele. Ele não pode me fazer mal.*

Mas, de certa forma, ele já tinha feito: o D- na prova de matemática e nadar mal na competição de natação foram só dois exemplos. Eu estava dormindo mal (minha mãe já tinha comentado sobre as minhas olheiras), e pequenos ruídos, até um livro caindo na sala de estudos, me faziam dar um pulo. Eu ficava pensando que ia abrir o armário para pegar uma camisa e ele estaria lá dentro, meu bicho-papão pessoal. Ou debaixo da cama. E se ele agarrasse meu pulso ou meu pé pendurado para fora da cama quando eu estivesse dormindo? Eu achava que ele não era capaz de segurar, mas também não tinha certeza disso, principalmente se ele estivesse ficando mais forte.

E se eu acordasse e ele estivesse deitado na cama comigo? Talvez até segurando meu pau?

Essa era uma ideia que, depois de pensada, não podia ser despensada.

E tinha outra coisa, uma coisa bem pior. E se ele ainda estivesse me assombrando (porque era exatamente isso) quando eu tivesse vinte anos? Ou quarenta? E se ele estivesse presente quando eu morresse aos oitenta e nove anos, esperando para me receber na vida após a morte, onde continuaria me assombrando até depois de eu estar morto?

Se é isso que você consegue fazendo uma boa ação, pensei uma noite, olhando pela janela e vendo Thumper do outro lado da rua, debaixo da luz do poste, *eu nunca mais quero fazer outra.*

34

No fim de junho, minha mãe e eu fizemos nossa visita mensal ao tio Harry. Ele quase não falava mais e quase nunca ia para o salão comunitário. Apesar de não ter nem cinquenta anos, o cabelo estava branco como neve.

— Jamie trouxe *rugelach* do Zabar, Harry. Quer? — disse minha mãe.

Mostrei a sacola de onde eu estava, parado na porta (eu não queria entrar), sorrindo e me sentindo uma das modelos do programa *The Price is Right*.

O tio Harry disse *yig*.

— Isso quer dizer sim? — perguntou minha mãe.

O tio Harry disse *ng* e balançou as duas mãos para mim. E não era preciso ser telepata para entender que queria dizer *não quero porra de doce nenhum*.

— Quer dar uma volta? O dia está lindo.

Eu não sabia se o tio Harry ainda sabia o que era *dar uma volta*.

— Eu te ajudo — disse a minha mãe e segurou o braço dele.

— Não! — disse o tio Harry. Não *ng*, não *yig*, não *ug*, não. Claro como água. Os olhos dele estavam maiores e começando a lacrimejar. Em seguida, com clareza perfeita: — Quem é esse?

— É o Jamie. Você conhece o Jamie, Harry.

Só que ele não me conhecia, não mais, e não era para mim que ele estava olhando. Ele estava olhando por cima do meu ombro. Eu não precisava me virar para saber quem eu veria ali, mas me virei mesmo assim.

— O que ele tem é hereditário — disse Therriault — e segue a parte masculina da família. Você vai ficar igual a ele, campeão. Antes mesmo de perceber você vai estar igual a ele.

— Jamie? — perguntou minha mãe. — Está tudo bem?

— Tudo — falei, olhando para Therriault. — Está tudo ótimo.

Mas não estava, e o sorriso de Therriault me disse que ele sabia disso.

— Vai embora! — disse o tio Harry. — Vai embora, vai embora, vai embora!

Nós fomos.

Nós três.

35

Eu tinha decidido contar tudo para a minha mãe; eu precisava desabafar, mesmo que ela ficasse assustada e infeliz. Mas o destino, como dizem por aí, se intrometeu. Isso foi em julho de 2013, umas três semanas depois da nossa visita ao tio Harry.

Minha mãe recebeu uma ligação logo cedo, quando estava se arrumando para ir para o escritório. Eu estava sentado à mesa da cozinha, comendo Cheerios só com um olho aberto. Ela saiu do quarto, fechando o zíper da saia.

— Marty Burkett sofreu um pequeno acidente ontem à noite. Tropeçou em alguma coisa, acho que indo até o banheiro, e travou o quadril. Ele diz que está bem e talvez esteja mesmo, mas pode ser que só esteja tentando bancar o machão.

— É — respondi, mas mais porque é sempre mais seguro concordar com a minha mãe quando ela está correndo de um lado para o outro e tentando fazer três coisas diferentes ao mesmo tempo. Em particular, eu estava pensando que o sr. Burkett estava meio velho para bancar o machão, embora fosse engraçado pensar nele estrelando um filme tipo *O exterminador do futuro: anos de aposentadoria*. Balançando a bengala e dizendo "*I'll be back*". Eu peguei a tigela e comecei a beber o leite.

— Jamie, quantas vezes já falei pra você não fazer isso?

Eu não conseguia lembrar se ela já tinha dito, porque vários decretos maternos, principalmente em relação a modos à mesa, tinham a tendência de entrar por um ouvido e sair pelo outro.

— De que outra forma vou tomar tudo?

Ela suspirou.

— Deixa pra lá. Fiz uma torta salgada para o jantar, mas a gente pode comer hambúrguer. Isso se você puder interromper sua programação de assistir televisão e jogar no celular por tempo suficiente pra levar a torta na casa do Marty. Eu não posso, estou com a agenda lotada. Será que você faria isso? E depois me ligaria pra dizer como ele está?

Primeiro, não respondi. Parecia que tinham batido na minha cabeça com um martelo. Algumas ideias são assim. Além do mais, me senti um idiota. Por que não pensei no sr. Burkett antes?

— Jamie? Terra para Jamie.

— Claro — falei. — Faço com prazer.

— De verdade?

— De verdade.

— Você está doente? Está com febre?

— Haha — falei. — Isso é tão engraçado quanto uma muleta de borracha.

Ela pegou a bolsa.

— Vou te dar o dinheiro do táxi...

— Não precisa, é só colocar a torta em uma bolsa fácil de carregar. Eu vou andando.

— É mesmo? — disse ela de novo, parecendo surpresa. — Até a Park?

— Claro. Vai ser bom fazer exercício. — Não era estritamente verdade. Eu precisava era de tempo para ter certeza de que a minha ideia era boa e para pensar em como contar a história se fosse.

36

A partir de agora, vou começar a chamar o sr. Burkett de prof. Burkett, porque ele me ensinou naquele dia. Ele me ensinou muito. Mas, antes de ensinar, ele *ouviu*. Eu já falei que sabia que tinha que falar com alguém, mas eu não sabia o alívio que seria tirar o peso das minhas costas até realmente fazer isso.

Ele foi mancando até a porta apoiado não em uma só bengala, como eu já tinha visto antes, mas em duas. Seu rosto se iluminou quando me viu, e acho que ele ficou feliz de ter companhia. As crianças são muito autocentradas (como sei que você deve saber se já foi uma, haha), e só me dei conta depois de que ele devia ser um homem muito solitário depois da morte de Mona. Ele tinha aquela filha na Costa Oeste, mas, se ela ia visitar, eu nunca a via; veja a declaração acima sobre crianças só terem olhos para si mesmas.

— Jamie! Você trouxe presentes!

— Só uma torta salgada. Acho que é esticadinho.

— Acho que você quer dizer *escondidinho*. Deve estar uma delícia. Pode fazer a gentileza de botar no refrigerador? Estou com isto… — Ele ergueu as bengalas, e por um momento assustador eu achei que ele ia cair de cara no piso na minha frente. Mas ele as apoiou no chão de novo a tempo.

— Claro — falei e fui até a cozinha. Eu achava divertido ele chamar a geladeira de refrigerador e os carros de automóveis. Ele era muito das antigas. Ah, e ele também chamava o telefone de telefungo. Gostei tanto disso que passei a usar. Ainda uso.

Botar a torta da minha mãe no refrigerador não foi problema porque não tinha quase nada lá dentro. Ele foi atrás de mim e perguntou como eu estava. Eu fechei a porta do refrigerador, me virei para ele e falei:

— Não muito bem.

Ele ergueu as sobrancelhas peludas.

— Não? Qual é o problema?

— É uma história bem longa e você vai achar que estou maluco, mas preciso contar pra alguém e acho que você foi o escolhido.

— É sobre os anéis da Mona?

Meu queixo caiu.

O prof. Burkett sorriu.

— Eu nunca acreditei que sua mãe tivesse encontrado no armário por acaso. Foi muito fortuito. Fortuito *demais*. Passou pela minha cabeça que ela mesma tinha colocado lá, mas cada ação humana é baseada em motivo e oportunidade, e sua mãe não tinha nenhuma das duas coisas. Além disso, eu estava triste demais para pensar nisso direito naquela tarde.

— Porque você tinha acabado de perder a esposa.

— De fato. — Ele levantou uma bengala o suficiente para encostar a base da palma da mão no peito, onde estava o coração. Isso fez eu me sentir mal por ele. — O que aconteceu, Jamie? Acho que são águas passadas agora, mas, como leitor de histórias de detetives desde pequeno, eu gosto de saber as respostas para essas perguntas.

— Sua esposa me disse — falei.

Ele olhou para mim do outro lado da cozinha.

— Eu vejo mortos.

Ele ficou tanto tempo sem responder que fiquei com medo. Mas acabou dizendo:

— Acho que preciso de alguma coisa com cafeína. Acho que nós dois precisamos. Depois, você pode me contar tudo que está aí na sua cabeça. Estou ansioso para ouvir.

37

O prof. Burkett era tão das antigas que não tinha saquinhos de chá, só folhas soltas em uma latinha. Enquanto eu esperava que a água da chaleira fervesse, ele me mostrou onde encontrar o que chamou de "infusor" e me ensinou quanto de chá colocar dentro. Preparar chá era um processo interessante. Eu sempre vou preferir café, mas às vezes um bule de chá é a melhor coisa. Preparar chá parece uma coisa *formal*, de certa forma.

O prof. Burkett me contou que o chá tinha que ficar cinco minutos em infusão em água recém-fervida, nem mais nem menos. Ele botou um cronômetro, mostrou onde estavam as xícaras e foi para a sala. Ouvi o suspiro de alívio quando ele se sentou na poltrona favorita. Também ouvi um peido. Não um sopro de trompete, estava mais para um de oboé.

Fiz duas xícaras de chá e coloquei em uma bandeja junto de um açucareiro e o leite semidesnatado do refrigerador (que nenhum de nós dois usou, o que deve ter sido uma coisa boa, porque já tinha vencido um mês antes). O prof. Burkett tomou o dele puro e estalou os lábios depois do primeiro gole.

— Parabéns, Jamie. Perfeito na sua primeira tentativa.

— Obrigado. — Carreguei no açúcar do meu. A minha mãe teria gritado na terceira colherada, mas o prof. Burkett não deu um pio.

— Agora, conte sua história. Tempo não me falta.

— Você acredita em mim? Sobre os anéis?

— Bem, eu acredito que você acredita. E *sei* que os anéis foram encontrados. Os dois estão no meu cofre do banco. Me diga uma coisa, Jamie: se eu perguntasse pra sua mãe, ela confirmaria sua história?

— Confirmaria, mas, por favor, não faça isso. Eu decidi falar com você porque não quero falar com ela. Ela ia ficar nervosa.

Ele tomou seu chá com uma mão ligeiramente trêmula, botou a xícara na mesa e olhou para mim. Ou talvez para *dentro* de mim. Ainda vejo aqueles olhos azuis brilhantes me observando por baixo das sobrancelhas peludas espetadas para todo lado.

— Então fale comigo. Convença-me.

Como ensaiei minha história na caminhada, consegui contar tudo em uma narrativa bem direta. Comecei com Robert Harrison (você lembra, o cara do Central Park) e falei sobre ver a sra. Burkett e os outros. Demorei um bom tempo. Quando terminei, meu chá estava morno (talvez até quase frio), mas tomei um gole grande mesmo assim porque minha garganta estava seca.

O prof. Burkett refletiu e falou:

— Pode ir até o meu quarto, Jamie, pegar meu iPad? Está na mesa de cabeceira.

O quarto dele tinha um cheiro parecido com o do tio Harry no residencial para idosos, mas junto com um aroma pungente que achei que devia ser da pomada que ele devia estar usando no quadril. Peguei o iPad dele e levei para a sala. Ele não tinha iPhone, só o telefungo fixo que ficava pendurado na parede da cozinha como uma coisa de filme antigo, mas ele amava o tablet. Ele o abriu quando entreguei para ele (a tela inicial era a foto de um casal jovem com trajes de casamento que supus serem ele e a sra. Burkett) e começou a cutucar a tela na mesma hora.

— Você está pesquisando o Therriault?

Ele balançou a cabeça sem erguer o rosto.

— Seu homem do Central Park. Você disse que estava na pré-escola quando o viu?

— Isso mesmo.

— Então deve ter sido em 2003... possivelmente 2004... Ah, aqui está. — Ele leu, curvado sobre o tablet e tirando o cabelo dos olhos algumas vezes (ele tinha muito). Finalmente, ele levantou o olhar e disse: — Você o viu caído morto e também parado ao lado do corpo. Sua mãe também confirmaria *isso*?

— Ela sabia que eu não estava mentindo porque eu sabia o que o cara estava usando em cima, apesar de essa parte dele estar coberta. Mas eu realmente não quero que...

— Entendido, perfeitamente. Agora, sobre o último livro do Regis Thomas. Não estava escrito...

— Isso, só os primeiros capítulos, acho.

— Mas sua mãe conseguiu obter detalhes suficientes para escrever o resto ela mesma, usando você como médium?

Eu nunca tinha pensado em mim como médium, mas, de certa forma, ele estava certo.

— Acho que sim. Tipo em *Invocação do mal*. — E, por causa da expressão dele de quem não entendeu: — É um filme. Sr. Burkett... *professor*... você acha que sou maluco? — Eu quase não me importei, porque o alívio de contar tudo foi enorme.

— Não — disse ele, mas alguma coisa, talvez a minha expressão de alívio, tenha feito com que ele levantasse um dedo de aviso. — Isso não quer dizer que acredito na sua história, ao menos não sem corroboração da sua mãe, que concordei em não pedir. Mas vou dizer o seguinte: eu não necessariamente *desacredito*. Principalmente por causa dos anéis, mas também porque aquele último livro do Thomas realmente existe. Não que eu tenha lido. — Ele fez uma careta ao dizer isso. — Você diz que a amiga da sua mãe, *ex*-amiga, também poderia corroborar a última e mais colorida parte da sua história.

— Sim, mas…

Ele levantou a mão, como devia ter feito mil vezes para os alunos que não paravam de falar em uma aula.

— Você também não quer que eu fale com ela e entendo isso. Eu só a vi uma vez e nem gostei muito dela. Ela realmente levou drogas pra dentro da sua casa?

— Eu não vi, mas, se a minha mãe disse que levou, ela levou.

Ele botou o tablet de lado e mexeu em sua bengala favorita, que tinha um punho branco grande no alto.

— Então Thia fez bem de se livrar dela. E esse Therriault, que você diz que te assombra. Ele está aqui agora?

— Não. — Mas olhei em volta para ter certeza.

— Você quer se livrar dele, claro.

— Quero, mas não sei como fazer isso.

Ele tomou um gole de chá, ficou pensando com a xícara perto do rosto, colocou-a na mesa e fixou os olhos azuis em mim de novo. Ele era velho; seus olhos, não.

— É um problema interessante, principalmente pra um cavalheiro idoso que já encontrou todo tipo de criatura sobrenatural em sua vida de leitor. Os góticos estão cheios delas, e o monstro de Frankenstein e o conde Drácula são só o par que aparece com mais frequência nas marquises de cinema. Há muitos mais na literatura europeia e nas histórias folclóricas. Vamos supor, ao menos por enquanto, que esse Therriault não exista só na sua cabeça. Vamos presumir que ele realmente existe.

Eu me segurei para não protestar, dizendo que ele *existia*. O professor já sabia em que eu acreditava, ele mesmo tinha dito.

— Vamos um passo à frente. Com base no que você me contou sobre as outras visões que teve de pessoas mortas, inclusive a minha esposa, todos somem uns dias depois. Desaparecem e vão para… — Ele balançou a mão. — … para algum lugar. Mas não esse Therriault. Ele ainda está aqui. Na verdade, você acha que ele pode estar ficando mais forte.

— Eu tenho certeza de que está.

— Se está, talvez ele não seja mais Kenneth Therriault. Talvez o que restou de Therriault depois da morte tenha sido infestado, e essa é a palavra certa, não possuído, por um demônio. — Ele devia ter visto minha expressão, porque acrescentou rapidamente: — Nós estamos só especulando, Jamie. Vou falar francamente e dizer que acho bem mais provável que você esteja sofrendo de um estado localizado de fuga que provocou alucinações.

— Em outras palavras, maluco. — Àquela altura, eu ainda estava feliz de ter contado, mas a conclusão dele era deprimente ao extremo, apesar de eu estar mais ou menos esperando.

Ele balançou a mão.

— Tolice. Não acho nem um pouco que você seja maluco. Você está operando no mundo real tão bem quanto sempre, obviamente. E tenho que admitir que sua história é cheia de fatos difíceis de explicar em termos estritamente racionais. Não duvido que você tenha acompanhado Thia e a ex-amiga dela até a casa do falecido sr. Thomas. Também não duvido que a detetive Dutton tenha te levado até o lugar de trabalho de Therriault e ao prédio dele. Se ela fez essas coisas, e estou canalizando Ellery Queen aqui, um dos meus apóstolos da dedução favoritos, *ela* devia acreditar nos seus talentos mediúnicos. O que, por sua vez, nos leva à casa do sr. Thomas, onde a detetive Dutton deve ter visto alguma coisa que a convenceu.

— Eu me perdi — falei.

— Deixa pra lá. — Ele se inclinou para a frente. — Só estou dizendo que, apesar de eu ter tendência para o racional, o conhecido e o empírico, considerando que nunca vi um fantasma nem tive nenhum tipo de precognição, eu tenho que admitir que há elementos na sua história que não posso desconsiderar. Vamos dizer, então, que Therriault, ou algo ruim que habitou o que resta de Therriault, realmente existe. A pergunta passa a ser: Dá pra você se livrar dele?

Agora, eu estava inclinado para a frente, pensando no livro que ele tinha me dado, o que era cheio de contos de fadas que eram, na verdade, histórias de terror com bem poucos finais felizes. As irmãs postiças cortaram os dedos dos pés, a princesa jogou o sapo na parede, *splat!*, em vez de beijá-lo, Chapeuzinho Vermelho *encorajou* o lobo mau a comer a vovozinha para herdar a propriedade dela.

— *Dá?* Você leu tantos livros, deve haver um jeito em pelo menos um! Ou... — Uma nova ideia me ocorreu. — Exorcismo! Que tal isso?

— Acho que não dá nem pra considerar — disse o prof. Burkett. — Acho que um padre ficaria mais inclinado a te mandar pra um psiquiatra infantil do que pra um exorcista. Se seu Therriault existe, Jamie, você talvez tenha que aguentá-lo.

Olhei para ele com consternação.

— Mas talvez não haja problema nisso.

— Não haja problema? Como pode não haver problema?

Ele levantou a xícara, tomou um gole e a pôs na mesa.

— Você já ouviu falar no Ritual de Chüd?

38

Agora eu tenho vinte e dois anos, quase vinte e três, e moro no mundo do depois. Posso votar, dirigir, comprar bebida e cigarros (o que planejo parar de fazer em breve). Eu entendo que ainda sou muito jovem e tenho certeza de que, quando olhar para trás, eu vou ficar impressionado (com sorte, não repugnado) com o quão ingênuo e inexperiente eu era. Mesmo assim, vinte e dois anos fica a anos-luz de treze. Sei mais agora, mas acredito em menos coisas. O prof. Burkett nunca teria conseguido fazer a mesma magia em mim agora que fez na época. Não que eu esteja reclamando! Kenneth Therriault (não sei o que ele realmente era, então vamos deixar assim por agora) estava tentando destruir minha sanidade. A magia do professor a salvou. Pode ter até salvado a minha vida.

Depois, quando pesquisei o assunto para um trabalho de antropologia da faculdade (NYU, claro), eu descobri que metade do que ele me contou naquele dia era verdade. A outra metade era mentira. Mas tenho que dar crédito a ele pela invenção (de alta qualidade, a escritora de romances britânicos da minha mãe, Philippa Stephens, teria dito). Olha só isso e saca a ironia: meu tio Harry não tinha nem cinquenta anos e já estava gagá, enquanto Martin Burkett, embora já estivesse com oitenta e tantos, ainda conseguia ser criativo no improviso… e tudo em serviço de um garoto perturbado que apareceu sem ser convidado, levando um escondidinho e uma história estranha.

O Ritual de Chüd, disse o professor, era praticado por uma seita de budistas tibetanos e nepaleses. (Verdade.)

Eles faziam o ritual para atingir um estado de perfeito nada e um estado resultante de serenidade e clareza espiritual. (Verdade.)

Também era considerado útil para combater demônios, tanto os da mente quanto os sobrenaturais que invadiam de fora. (Uma área meio nebulosa.)

— Por isso, é perfeito pra você, Jamie, porque cobre todas as possibilidades.

— Você quer dizer que pode funcionar mesmo se Therriault não existir e eu só estiver maluco mesmo.

Ele me olhou de um jeito que misturava reprovação e impaciência e que devia ter sido aperfeiçoado ao longo da carreira de professor.

— Pare de falar e tente ouvir, se você não se importar.

— Desculpa. — Eu estava na minha segunda xícara de chá, me sentindo energizado.

Com a parte básica explicada, o prof. Burkett agora começou a falar do mundo de faz de conta... não que eu soubesse a diferença. Ele disse que Chüd era especificamente útil quando um daqueles budistas das montanhas encontrava um iéti, também conhecido como abominável homem da neves.

— Isso existe? — perguntei.

— Como com o seu sr. Therriault, eu não tenho como dizer com certeza. Mas, também como é com você e seu sr. Therriault, eu *posso* dizer que os tibetanos acreditam que existe.

O professor continuou falando que um infeliz que encontra um iéti é assombrado por ele pelo resto da vida. A não ser, claro, que a criatura pudesse ser envolvida e vencida no Ritual de Chüd.

Se você estiver acompanhando isto, sabe que, se baboseira fosse uma modalidade das Olimpíadas, os juízes teriam dado ao prof. Burkett só dez por essa, mas eu só tinha treze anos e estava em um momento muito difícil. Isso quer dizer que engoli tudinho. Se uma parte de mim teve ideia do que o prof. Burkett estava planejando (eu não consigo lembrar se teve), eu sufoquei esse pensamento. Você precisa lembrar que eu estava desesperado. A ideia de ser seguido por Kenneth Therriault, também conhecido como Thumper, pelo resto da minha vida, de ser *assombrado* por ele, para usar a palavra do professor, era a coisa mais horrível que eu conseguia imaginar.

— Como funciona? — perguntei.

— Ah, você vai gostar dessa parte. É como um dos contos de fadas sem censura do livro que eu te dei. De acordo com as histórias, você e o demônio se unem mordendo a língua um do outro.

Ele falou isso com certo prazer, e eu pensei: *Gostar? Por que* eu gostaria *de algo assim?*

— Se essa união for executada, você e o demônio passariam a ter uma batalha de vontades. Isso aconteceria telepaticamente, suponho, considerando que seria difícil falar ao mesmo tempo que se está preso numa... hum... mordida mútua de línguas. O primeiro a se retirar perde todo o poder para o vencedor.

Fiquei olhando para ele com a boca aberta. Eu tinha sido criado para ser educado, principalmente perto dos clientes e amigos da minha mãe, mas fiquei com nojo demais para considerar as sutilezas sociais.

— Se você acha que eu vou... o quê? Dar um beijo de língua naquele cara, você só pode estar louco! Primeiro de tudo que ele está *morto*. Você não entendeu isso?

— Sim, Jamie, acredito que entendi.

— Além do mais, como eu o levaria a fazer isso? O que eu diria, vem cá, Ken querido, bota a língua aqui?

— Terminou? — perguntou o prof. Burkett com tranquilidade, novamente fazendo com que eu me sentisse o aluno mais perdido da sala de aula. — Acho que o aspecto de morder as línguas é pra ser simbólico. Assim como as hóstias e as tacinhas de vinho são simbolismo da última ceia de Jesus com os discípulos.

Eu não entendi isso porque não era de frequentar a igreja, então fiquei de boca calada.

— Me escute, Jamie. Escute com atenção.

Eu escutei como se minha vida dependesse daquilo. Porque eu achava que dependia.

39

Quando eu estava me preparando para ir embora (a educação tinha voltado e não deixei de dizer obrigado), o professor me perguntou se a esposa dele tinha dito mais alguma coisa. Além de onde os anéis estavam.

Quando a gente chega aos treze anos, acha que esqueceu a maioria das coisas que aconteceram quando a gente tinha seis. Afinal, mais da metade da vida passou depois daquilo! Mas eu não tive dificuldade de me lembrar daquele dia. Eu poderia ter contado para ele como a sra. Burkett esculachou meu peru verde, mas achei que não era do interesse dele. Ele queria saber se ela disse alguma coisa sobre *ele*, não o que disse para mim.

— Você estava abraçando a minha mãe e ela disse que você ia queimar o cabelo dela com o cigarro. E queimou mesmo. Parece que você parou de fumar, né?

— Eu me permito três por dia. Acho que eu poderia até fumar mais, não vou correr o risco de abreviar minha juventude nem nada, mas três parece que é exatamente o que preciso. Ela disse mais alguma coisa?

— Hum, que você ia chamar uma mulher pra almoçar em um ou dois meses. O nome dela era Debbie ou Diana, alguma coisa assim...

— Dolores? Era Dolores Magowan? — Ele estava me olhando com novos olhos, e de repente desejei que tivéssemos tido essa parte da conversa no começo. Teria ajudado muito a estabelecer a minha credibilidade.

— Pode ser.

Ele balançou a cabeça.

— Mona sempre achou que eu estivesse de olho naquela mulher. Só Deus sabe por quê.

— Ela falou alguma coisa sobre passar pasta de ovelha nas mãos...

— Lanolina — disse ele. — Pras juntas inchadas. Caramba.

— Teve mais uma coisa também. Que você sempre passava o cinto por cima do passador de trás da calça. Acho que ela disse: "Quem vai tomar conta disso agora?".

— Meu Deus — disse ele baixinho. — Ah, meu Deus. Jamie.

— Ah, e ela te deu um beijo. Na bochecha.

Tinha sido só um beijinho e anos antes, mas isso selou o contrato. Porque ele também queria acreditar, acho. Se não em tudo, nela. No beijo. Que ela tinha estado ali.

Eu fui embora enquanto ainda estava em posição de vantagem.

40

Fiquei de olho para ver se Therriault apareceria no meu caminho para casa, já era automático, mas não o vi. Isso foi ótimo, mas eu tinha desistido de ter esperanças de ele ter sumido de vez. Ele era uma maçã podre e apareceria. Eu só esperava que estivesse pronto quando ele aparecesse.

Naquela noite, recebi um e-mail do prof. Burkett. *Fiz uma pesquisa e consegui obter resultados interessantes*, dizia. *Achei que você ia se interessar.* Havia três anexos, todos os três eram críticas do último livro do Regis Thomas. O professor tinha marcado as partes que achou interessantes e deixou que eu tirasse minhas próprias conclusões. E foi o que eu fiz.

Crítica do *Sunday Times Book Review*: "O canto do cisne de Regis Thomas é o emaranhado caótico de sempre de sexo e aventura pantanosa, mas a prosa está mais afiada do que nunca; aqui e ali, encontramos sinais de escrita de verdade".

Crítica do *Guardian*: "Apesar de o aguardado Mistério de Roanoke não ser uma grande surpresa para os leitores da série (que devem ter previsto o que seria), a voz narrativa de Thomas está mais viva do que poderia se esperar a partir dos volumes anteriores, em que a exposição empolada se alternava com os encontros sexuais ardentes e um tanto cômicos".

Crítica do *Miami Herald*: "Os diálogos são ferinos, o ritmo é intenso e, pela primeira vez, a conexão lésbica entre Laura Goodhugh e Purity Betancourt parece real e emocionante em vez de uma piada lasciva ou uma fantasia masturbatória. Thomas guardou o melhor para o final".

Eu não podia mostrar as críticas para a minha mãe, pois levantariam perguntas demais, mas tinha certeza de que ela devia ter visto, e achei que ela devia ter ficado tão feliz quanto eu. Além de ter conseguido, ela botou um brilho na reputação lamentavelmente manchada de Regis Thomas.

Houve muitas noites nas semanas e meses seguintes ao meu primeiro encontro com Kenneth Therriault em que fui para a cama me sentindo infeliz e com medo. Aquela noite não foi uma delas.

41

Não sei bem quantas vezes eu o vi no resto daquele verão, e isso já deve dizer alguma coisa. Se não disser, aqui está, em linguagem simples: eu estava me acostumando com ele. Nunca teria acreditado que isso fosse possível no dia em que me virei e o vi parado atrás do porta-malas do carro de Liz Dutton, tão perto que poderia me tocar. Eu nunca teria acreditado no dia em que o elevador se abriu e ele estava lá dentro, dizendo que minha mãe tinha câncer e sorrindo como se fosse a melhor notícia do mundo. Mas a gente se acostuma a tudo, como dizem, e nesse caso era verdade.

Uma das coisas que ajudou foi que ele nunca apareceu no meu armário nem debaixo da minha cama (o que teria sido pior, porque, quando eu era pequeno, eu tinha certeza de que era lá que o monstro ficava esperando para segurar um pé ou braço deixado para fora). Naquele verão, eu li *Drácula* (tudo bem, não o livro de verdade, mas uma HQ irada que comprei na Forbidden Planet), e na história Van Helsing diz que um vampiro não pode entrar se não for convidado. Se era verdade para vampiros, fazia sentido (ao menos para o meu eu de treze anos) que fosse verdade para outros seres sobrenaturais. Como o que havia dentro de Therriault e que o impediu de desaparecer depois de alguns dias, como as outras pessoas mortas. Pesquisei na Wikipédia para saber se o sr. Stoker tinha inventado aquilo, mas não foi ele. Estava em muitas lendas de vampiros. Agora (depois!), vejo que faz sentido simbolicamente. Se temos livre arbítrio, o mal precisa ser convidado para entrar.

E tem outra coisa. Ele tinha parado de mover aquele dedo para me chamar. Na maior parte daquele verão, ele só ficou parado ao longe, olhando. A única vez em que eu *realmente* o vi me chamando foi meio engraçada. Isso se podemos dizer que qualquer coisa naquele filho da puta morto-vivo era engraçada.

A minha mãe comprou ingressos para a gente ir ver os Mets jogarem com os Tigers no último domingo de agosto. Os Mets perderam feio, mas não me importei, porque a minha mãe conseguiu dois lugares maravilhosos com um amigo editor (contrariando as crenças populares, os agentes literários têm amigos *sim*). Eram perto da terceira base, a apenas duas filas do campo. Foi durante a sétima entrada, quando os Mets ainda estavam correndo atrás, que eu vi Therriault. Olhei ao redor para procurar o vendedor de cachorro-quente e, quando olhei de novo para o campo, meu amigo Thumper estava parado perto do treinador da terceira base. Com a mesma calça cáqui. A mesma camisa toda suja de sangue no lado esquerdo. A cabeça estourada, como se alguém tivesse soltado uma bombinha lá dentro. Sorrindo. E, sim, me chamando com o dedo.

Os jogadores estavam arremessando a bola, e logo depois que eu vi Therriault, um arremesso do interbases para o jogador da terceira base passou longe. A torcida berrou e gritou as coisas de sempre — *que jogada, amador, minha avó joga melhor do que isso* —, mas eu só fiquei sentado lá com as mãos tão apertadas que as unhas estavam afundando nas palmas das minhas mãos. O interbases não viu Therriault (ele teria saído correndo pelo campo, gritando, se tivesse visto), mas *sentiu*. Eu sei que sentiu.

E tem mais uma coisa: o treinador da terceira base foi pegar a bola, mas parou e deixou que rolasse até o abrigo. Pegar a bola correndo o teria levado direto para perto da coisa que só eu via. Será que o cara sentiu um vento gelado, tipo em um filme de fantasma? Acho que não. Acho que ele sentiu, só por um ou dois segundos, que o mundo estava tremendo em volta dele. Vibrando como uma corda de violão. Tenho motivos para pensar isso.

— Está tudo bem, Jamie? Você não está ficando com insolação, está? — perguntou minha mãe.

— Está — falei, e, mãos suadas ou não, estava mesmo. — Está vendo o vendedor de cachorro-quente por aí?

Ela esticou o pescoço e sinalizou para o vendedor mais próximo. Isso me deu a oportunidade de mostrar o dedo do meio para Kenneth Therriault. O sorriso dele virou um rosnado que exibiu todos os dentes. Ele foi até o abrigo dos visitantes, onde os jogadores que não estavam em campo chegaram para o lado no banco para abrir espaço para ele, sem nem saber o que estavam fazendo.

Eu me encostei com um sorriso. Não estava pronto para achar que tinha feito com que ele desaparecesse, não com uma cruz e água benta e sim mostrando o dedo do meio, mas a ideia meio que surgiu sorrateiramente.

As pessoas começaram a ir embora na primeira metade da nona entrada, depois que os Tigers chegaram a sete e deixaram o jogo impossível de empatar. Minha mãe perguntou se eu queria ficar e ver o mascote, Mr. Met

Dash, e fiz que não. O Dash era só pra criancinhas. Eu já tinha assistido a ele uma vez, antes da Liz, antes daquele arrombado do James Mackenzie roubar nosso dinheiro na pirâmide, antes até do dia em que Mona Burkett me disse que não existia peru verde. Quando eu era uma criancinha e o mundo era a minha ostra.

Parecia tanto tempo antes.

42

Você pode estar se fazendo uma pergunta que não fiz naquela época: *Por que eu? Por que Jamie Conklin?* Eu venho me fazendo essa pergunta desde então, e não sei a resposta. Só posso especular. Acho que foi porque eu era diferente, e a coisa, aquela coisa dentro da casca que tinha sido Therriault, me odiava por isso e queria me fazer mal, até me destruir, se pudesse. Eu acho, e pode me chamar de maluco se quiser, que eu a *ofendia* de alguma forma. E talvez houvesse alguma outra coisa. Acho que talvez, só talvez, o Ritual de Chüd já tivesse começado.

Acho que, depois que começou a se meter comigo, ela não podia parar.

Como falei, é só palpite aqui. Os motivos daquela coisa poderiam ser totalmente diferentes, tão desconhecidos quanto eram para mim. E tão monstruosos. Como falei, essa história é de terror.

43

Eu ainda sentia medo de Therriault, mas não achava mais que ia amarelar se surgisse a oportunidade de botar o ritual do prof. Burkett em ação. Eu só precisava estar pronto. Ou seja, que Therriault chegasse perto, não só ficasse do outro lado da rua ou perto da terceira base do Citi Field.

Minha chance surgiu em um sábado de outubro. Eu estava indo jogar futebol americano com uns amigos da escola no Grover Park. Minha mãe deixou um bilhete dizendo que tinha ficado acordada até tarde lendo o novo trabalho de Philippa Stephens e queria dormir até mais tarde. Que era para eu tomar meu café da manhã em silêncio e não tomar mais do que meia xícara de café. Que era para eu me divertir com meus amigos e não voltar com uma concussão nem com o braço quebrado. Que era para eu estar de volta no máximo às duas. Ela deixou dinheiro para o meu almoço, que guardei dobradinho no bolso. Havia um P.S.: *Seria perda de tempo pedir pra você comer alguma coisa verde, nem que seja uma folha de alface dentro de um hambúrguer?*

Provavelmente, mãe, provavelmente, pensei enquanto servia um prato de Cheerios e comia (quietinho).

Quando saí do apartamento, Therriault não estava na minha cabeça. Ele passava cada vez menos tempo lá, e eu usei uma parte do novo espaço disponível para pensar em outras coisas, principalmente garotas. Eu estava pensando particularmente em Valeria Gomez enquanto andava pelo corredor até o elevador. Therriault decidiu chegar perto naquele dia porque tinha uma espécie de janela para ver dentro da minha cabeça e sabia que estava longe dos meus pensamentos? Tipo telepatia de baixo grau? Também não sei sobre isso.

Apertei o botão do elevador, me perguntando se Valeria iria ao jogo. Era bem possível, porque o irmão dela, Pablo, jogava. Eu estava mergulhado em uma fantasia em que eu pegava um passe, escapava de todo mundo que tentasse tocar em mim e disparava até o lado adversário com a bola bem alta, mas, mesmo assim, dei um passo para trás quando o elevador chegou; isso tinha se tornado automático para mim. Estava vazio. Apertei o botão do térreo. O elevador desceu e a porta se abriu. Havia um corredorzinho curto e uma porta, que ficava trancada por dentro e levava a um saguão pequeno. A porta para a parte externa não ficava trancada para o carteiro poder entrar e botar as correspondências nas caixas. Se Therriault estivesse ali, no saguão, eu não poderia ter feito o que fiz. Mas ele não estava no saguão. Estava dentro, no fim do corredor, sorrindo como se fazer isso fosse passar a ser proibido no dia seguinte.

Ele começou a dizer uma coisa, talvez uma de suas profecias mentirosas, e se eu estivesse pensando nele e não na Valeria é provável que tivesse ficado paralisado ou tropeçado de volta para o elevador, apertando o botão de fechar a porta com todo o desespero do mundo. Mas fiquei puto por ele invadir minha fantasia e só me lembro de ter pensado no que o prof. Burkett me disse no dia em que levei a torta salgada.

— A mordida de língua no Ritual de Chüd é só uma cerimônia antes de se enfrentar um inimigo — disse ele. — Há muitas. Os maoris fazem uma dança com grito de guerra quando enfrentam os oponentes. Os pilotos kamikaze brindavam uns aos outros e a fotografias dos seus alvos com o que eles acreditavam ser saquê mágico. No antigo Egito, os membros de casas em guerra batiam na testa uns dos outros antes de pegar as facas e lanças e arcos. Lutadores de sumô batem no ombro uns dos outros. Tudo se resume à mesma coisa: *eu te encontrarei em combate, onde um de nós vai superar o outro*. Em outras palavras, Jamie, não precisa botar a língua pra fora. Agarra seu demônio e fica agarrado como se sua vida dependesse disso.

Em vez de ficar paralisado ou de me encolher, dei um pulo para a frente sem pensar, com os braços esticados, como se eu fosse abraçar um amigo ausente havia muito tempo. Eu gritei, mas acho que só na minha cabeça, porque ninguém olhou dos apartamentos térreos para ver o que estava acontecendo. O sorriso de Therriault (o que sempre revelava aquela placa de sangue morto entre os dentes e a bochecha) sumiu, e vi uma coisa incrível, maravilhosa: ele sentiu medo de mim. Ele se encolheu contra a porta do saguão, mas a porta se abria na outra direção, e ele ficou encurralado. Eu o segurei.

Não consigo descrever como foi. Acho que nem um escritor bem mais talentoso do que eu conseguiria, mas vou me esforçar. Lembra o que falei sobre o mundo tremer ou vibrar como uma corda de violão? Era assim do lado de fora de Therriault e em volta dele. Eu sentia o tremor nos meus dentes e nos meus globos oculares. Só que havia outra coisa, na parte de *dentro* de Therriault. Era uma coisa que o estava usando como veículo e o impedindo de seguir para onde as pessoas mortas vão quando a conexão delas com o nosso mundo apodrece.

Era uma coisa muito ruim e estava gritando para que eu a soltasse. Ou para que soltasse Therriault. Talvez não houvesse diferença. Estava furiosa comigo e com medo, mas, principalmente, ela estava surpresa. Ser agarrada era a última coisa que esperava.

A coisa lutou e teria escapado se Therriault não estivesse preso contra a porta, tenho certeza. Eu era um garoto magrelo, Therriault era mais de dez centímetros mais alto e pesaria uns cinquenta quilos a mais do que eu se estivesse vivo, mas não estava. A coisa dentro dele *estava* viva, e eu tinha quase certeza de que tinha entrado quando eu estava obrigando Therriault a responder minhas perguntas do lado de fora daquele mercadinho.

A vibração piorou. Estava vindo do chão. Estava vindo do teto. A luz estava tremendo e espalhando sombras líquidas. As paredes pareciam rastejar primeiro para um lado e depois para outro.

— Me solta — disse Therriault, e até a voz dele estava vibrando. Parecia aquelas flautas improvisadas, quando a gente bota papel vegetal sobre um pente e sopra. Os braços se debateram ao lado do corpo, depois se fecharam e bateram nas minhas costas. Na mesma hora, ficou difícil respirar. — Me solta e eu te solto.

— Não — falei e o abracei com mais força.

É agora, lembro que pensei. *É Chüd. Estou em um combate mortal com um demônio aqui, na entrada do meu prédio, em Nova York.*

— Vou tirar todo o ar de você — disse a coisa.

— Você não pode fazer isso — respondi, torcendo para estar certo.

Eu ainda conseguia respirar, mas eram respirações bem curtas. Comecei a achar que conseguia ver *dentro* de Therriault. Talvez fosse uma alucinação gerada pela vibração e pela sensação de que o mundo estava prestes a explodir como uma taça delicada de vinho, mas acho que não. Não era para as entranhas dele que eu estava olhando, mas para uma luz. Era brilhosa e escura ao mesmo tempo. Uma coisa sobrenatural. Era horrível.

Quanto tempo ficamos ali, nos agarrando? Podem ter sido cinco horas ou só noventa segundos. Você poderia dizer que cinco horas era impossível, que alguém teria passado, mas acho... eu quase *sei*... que estávamos fora do tempo. Uma coisa que posso dizer com certeza é que a porta do elevador não fechou como deveria uns cinco segundos depois que os passageiros saem. Eu via o reflexo do elevador por cima do ombro de Therriault e a porta ficou aberta o tempo todo.

Por fim, a coisa disse:

— Me solta e eu não volto nunca mais.

Era uma ideia extremamente tentadora, tenho certeza de que você vai entender, e eu talvez tivesse aceitado se o professor também não tivesse me preparado para isso.

A coisa vai tentar negociar, disse ele. *Não deixe.* E ele me disse o que fazer, provavelmente achando que a única coisa que eu tinha para confrontar era uma neurose ou complexo ou seja lá qual transtorno psicológico você queira nomear.

— Ainda não é suficiente — falei, e continuei apertando.

Eu via mais e mais dentro de Therriault e me dei conta de que ele era *mesmo* um fantasma. Provavelmente todas as pessoas mortas são, e eu só as via como sólidas. Quanto mais insubstancial ele ficava, mais intensa aquela luz escura, aquela luz morta, brilhava. Não tenho a menor ideia do que era. Eu só sabia que a tinha capturado, e tem um ditado antigo que diz *quem segurar um tigre pela cauda que não ouse soltar*.

A coisa dentro de Therriault era pior do que qualquer tigre.

— O que você quer? — Ofegante. Não havia ar nele, eu teria sentido na bochecha e no pescoço se houvesse, mas ele estava ofegante mesmo assim. Pior do que eu, talvez.

— Não é suficiente você parar de me assombrar.

Eu respirei fundo e falei o que o prof. Burkett me mandou dizer se eu conseguisse enfrentar meu nêmesis no Ritual de Chüd. E apesar de o mundo estar tremendo em volta de mim, apesar de essa coisa estar me segurando em um abraço mortal, eu senti prazer em dizer. Um grande prazer. Um prazer de *guerreiro*.

— Agora eu vou *te* assombrar.

— Não! — Ele me apertou mais.

Eu estava espremido junto a Therriault, apesar de Therriault agora não passar de um holograma sobrenatural.

— Sim. — O prof. Burkett me disse para dizer outra coisa se eu tivesse oportunidade. Depois descobri que era o título aperfeiçoado de uma história famosa de fantasma, o que a tornou muito adequada. — Ah, eu assobio e você vem a mim, meu rapaz.

— Não! — A coisa lutou. Aquela luz pulsante e horrenda me deu vontade de vomitar, mas eu me segurei.

— Sim. Vou te assombrar o quanto eu quiser, sempre que eu quiser, e, se você não concordar, vou ficar agarrado a você até você morrer.

— Eu não tenho como morrer! Mas você tem!

Isso era verdade, sem dúvida, mas naquele momento eu nunca tinha me sentido tão forte. Além do mais, o tempo todo Therriault estava se apagando, e ele era o pezinho que aquela luz morta mantinha no nosso mundo.

Eu não falei nada. Só me mantive agarrado. E Therriault se manteve agarrado a mim. Continuou assim. Eu estava ficando gelado, os pés e as mãos ficando dormentes, mas continuei do mesmo jeito. Eu pretendia ficar ali para sempre se precisasse. Estava morrendo de medo da coisa dentro de Therriault, mas a coisa estava presa. Eu também estava preso, claro; essa era a natureza do ritual. Se eu soltasse, ela vencia.

Finalmente, ela disse:

— Eu concordo com seus termos.

Eu afrouxei o aperto, mas só um pouco.

— Você está mentindo? — Você poderia dizer que era uma pergunta idiota, mas não era.

— Eu não posso mentir. — O tom foi meio petulante. — Você sabe disso.

— Diga de novo. Diga que concorda.

— Eu concordo com seus termos.

— Você sabe que posso te assombrar?

— Sei, mas não tenho medo de você.

Foram palavras ousadas, mas, como eu já tinha descoberto, Therriault podia fazer quantas declarações falsas quisesse. Declarações não eram respostas a perguntas. E qualquer um que precisa *dizer* que não sente medo está mentindo. Eu não precisei esperar até depois para aprender isso, já sabia aos treze anos.

— Você tem medo de mim?

Vi aquela expressão contraída no rosto de Therriault de novo, como se ele estivesse sentindo um gosto amargo e desagradável. E essa devia ser a sensação que aquele filho da puta infeliz tinha ao falar a verdade.

— Sim. Você não é como os outros. Você *vê*.

— Sim o quê?

— *Sim, eu tenho medo de você!*

Show!

Eu o soltei.

— Sai daqui, seja lá o que você for, e vai pra onde quer que você vá. Só lembra que, se eu chamar, *você vem*.

Ele se virou e me permitiu dar uma olhada final no buraco no lado esquerdo da cabeça. Segurou na maçaneta. A mão atravessou a maçaneta, mas também *não* atravessou. As duas coisas ao mesmo tempo. Sei que é loucura, um paradoxo, mas aconteceu. Eu vi. A maçaneta girou e a porta se abriu. Ao mesmo tempo, a lâmpada no teto explodiu e voou vidro do alto. Havia umas doze caixas de correspondência no saguão e metade delas se abriu. Therriault me lançou um último olhar de ódio por cima do ombro sujo de sangue e sumiu, deixando a porta da frente aberta. Eu o vi descer a escada, mais caindo do que correndo. Um cara passando de bicicleta em velocidade, provavelmente um mensageiro, perdeu o equilíbrio e caiu estatelado na rua, falando um palavrão.

Eu sabia que os mortos podiam causar impacto nos vivos, aquilo não foi surpresa. Eu já tinha visto, mas esses impactos sempre foram coisas *pequenas*. O prof. Burkett sentiu o beijo da esposa. Liz sentiu Regis Thomas soprar na cara dela. Mas as coisas que eu tinha visto agora, a lâmpada explodindo, a maçaneta tremendo e girando, o mensageiro caindo da bicicleta, todas eram de um nível totalmente diferente.

O que estou chamando de luz morta quase perdeu o hospedeiro quando eu o estava agarrando, mas, quando soltei, ela mais do que recuperou Therriault; ela ficou mais forte. A força devia ter vindo de mim, mas eu não me sentia mais fraco (como a pobre Lucy Westenra quando o conde Drácula a usou como bufê particular). Na verdade, acho que eu estava me sentindo melhor do que nunca, renovado e revigorado.

E daí que estava mais forte? Eu a dominei, fiz dela minha cadelinha.

Pela primeira vez desde que Liz me buscou na escola naquele dia e me levou para procurar Therriault, eu me sentia bem de novo. Como alguém que teve uma doença séria e está finalmente melhorando.

44

Voltei para casa por volta de duas e quinze, um pouco atrasado, mas não a ponto de ouvir "onde você estava, eu fiquei preocupada". Eu estava com um arranhão enorme em um braço e o joelho da minha calça rasgou quando um dos garotos do ensino médio esbarrou em mim e eu caí com força, mas estava me sentindo ótimo mesmo assim. Valeria não foi, mas duas amigas dela foram. Uma delas disse que a Valeria gostava de mim e a outra disse que eu devia falar com ela, talvez me sentar com ela no almoço.

Meu Deus, as possibilidades!

Eu entrei e vi que alguém (provavelmente o sr. Provenza, zelador do prédio) tinha fechado as caixas de correspondência que tinham se aberto quando Therriault foi embora. Ou, para dizer de forma mais precisa, quando ele fugiu do local. O sr. Provenza também tinha limpado o vidro quebrado e colocado uma placa na frente do elevador dizendo COM DEFEITO. Isso me fez lembrar o dia em que a minha mãe e eu chegamos da escola, eu segurando o peru verde, e encontramos o elevador do Palácio na Park quebrado. *Porra de elevador*, minha mãe disse na época. *Você não ouviu isso, moleque.*

Velhos tempos.

Subi de escada, entrei e vi que minha mãe tinha levado a cadeira do escritório para a janela da sala, onde ela estava lendo e tomando café.

— Eu já ia te ligar — disse ela, e, olhando para baixo: — Ah, meu Deus, essa calça jeans era nova!

— Desculpa. Será que você pode remendar?

— Eu tenho muitas habilidades, mas costurar não é uma delas. Vou levar pra sra. Abelson da Tinturaria Dandy. O que você almoçou?

— Um hambúrguer. Com alface e tomate.

— Isso é verdade?

— Eu não consigo mentir — falei, e claro que isso me fez pensar em Therriault, e tremi de leve.

— Me deixa ver seu braço. Vem cá pra eu olhar direito. — Eu fui até lá e mostrei minha cicatriz de batalha. — Não precisa de band-aid, acho, mas você precisa passar Neosporin.

— Posso assistir a ESPN depois de fazer isso?

— Poderia se a gente tivesse energia. Por que você acha que estou lendo na janela e não à minha mesa?

— Ah. Deve ser por isso que o elevador não está funcionando.

— Seus poderes de dedução me espantam, Holmes. — Essa era uma das piadas literárias da minha mãe. Ela tem dezenas. Talvez centenas. — É só no nosso prédio. O sr. Provenza diz que alguma coisa quebrou todos os disjuntores. Algum tipo de sobrecarga. Ele disse que nunca viu nada igual.

Vai tentar consertar até de noite, mas acho que vamos precisar de velas e lanternas depois que escurecer.

Therriault, pensei, mas claro que não foi ele. Foi a coisa de luz morta que estava agora ocupando Therriault. Quebrou a lâmpada, abriu algumas das caixas de correspondência e fritou os disjuntores só por garantia na hora de ir embora.

Fui ao banheiro pegar o Neosporin. Estava bem escuro lá dentro e mexi no interruptor. Merda de hábito. Eu me sentei no sofá passando a pomada antibiótica no arranhão, olhando para a televisão apagada e me perguntando quantos disjuntores havia em um prédio do tamanho do nosso e quanta energia era necessária para fritar todos.

Eu poderia assobiar para chamar aquela coisa. E, se fizesse isso, será que ela iria até o rapaz chamado Jamie Conklin? Era muito poder para um garoto que só poderia tirar habilitação três anos depois.

— Mãe.

— O quê?

— Você acha que tenho idade pra ter uma namorada?

— Não, querido. — Sem tirar o olhar do manuscrito.

— Quando vou ter idade?

— Que tal vinte e cinco anos?

Ela começou a rir e eu ri com ela. Talvez, pensei, quando eu tivesse vinte e cinco anos, eu chamasse Therriault para me pegar um copo de água. Mas, pensando melhor, qualquer coisa que *ele* trouxesse poderia ser veneno. Talvez, só pra rir pra caralho, eu pedisse que ele plantasse bananeira, fizesse um espacate, talvez andasse no teto. Ou eu poderia deixar aquela coisa pra lá. Mandar tomar chá de sumiço. Claro que eu não precisava esperar até ter vinte e cinco anos. Eu poderia fazer isso a qualquer momento. Só que não queria. Ela que fosse *minha* prisioneira por um tempo. Aquela luz maldita e horrenda reduzida a pouco mais do que um vagalume em um pote de vidro. Ela tinha que ver o que era bom.

A eletricidade voltou às dez da noite e tudo ficou direito no mundo.

45

No domingo, minha mãe sugeriu uma visita ao prof. Burkett, para nós vermos como ele estava e para pegarmos a travessa da torta.

— E a gente podia levar uns croissants da Haber's.

Eu falei que era uma boa ideia. Ela ligou para ele, e ele disse que adoraria nos ver, então andamos até a padaria e pegamos um táxi. Minha mãe se recusava a usar Uber. Ela disse que não era a cara de Nova York. Os *táxis* é que eram a cara de Nova York.

Acho que o milagre da cura continua mesmo quando estamos velhos, porque o prof. Burkett estava usando só uma bengala e estava se movendo muito bem. Não que fosse voltar a correr a maratona de Nova York (se é que ele já tinha corrido alguma vez), mas ele deu um abraço na minha mãe na porta e não fiquei com medo de ele cair de cara no chão quando ele apertou minha mão. Ele me olhou com perspicácia, eu assenti de leve, e ele sorriu. Nós nos entendemos.

Minha mãe se ocupou para servir os croissants com manteiga e os potinhos de geleia que os acompanhavam. Nós comemos na cozinha com o sol do meio da manhã entrando pela janela. Foi uma refeição agradável. Quando acabamos, minha mãe transferiu os restos da torta (a maior parte, ainda; acho que gente velha não come muito) para um tupperware e lavou a travessa. Deixou secando e pediu licença para usar o banheiro.

Assim que ela saiu, o prof. Burkett se inclinou por cima da mesa.

— O que aconteceu?

— Ele estava no saguão quando saí do elevador ontem. Eu nem pensei, só corri e agarrei ele.

— Ele estava lá? O tal Therriault? Você o viu? *Sentiu?* — Ainda meio convencido de que era tudo coisa da minha cabeça, sabe. Dava para ver no rosto dele, e quem podia culpá-lo?

— É. Mas não é Therriault, não mais. A coisa dentro, é uma luz, tentou escapar, mas eu segurei. Foi assustador, mas eu soube que seria ruim pra mim se eu soltasse. Finalmente, quando vi que Therriault estava se apagando...

— Se apagando? Como assim?

Ouvimos a descarga. Minha mãe só voltaria depois de lavar as mãos, mas isso não demoraria.

— Eu falei o que você me disse pra dizer, professor. Que, se eu assobiasse, ela tinha que vir até mim. Que era a minha vez de assombrar *ela*. A coisa concordou. Eu fiz com que ela dissesse em voz alta, e ela disse.

Minha mãe voltou antes que ele pudesse fazer mais perguntas, mas vi que ele estava com a expressão perturbada e que ainda estava pensando que o confronto tinha sido coisa da minha cabeça. Eu entendia isso, mas fiquei meio puto mesmo assim; ele *sabia* as coisas, sobre os anéis e o livro do sr. Thomas. Mas, pensando melhor agora, eu entendo. A crença é um obstáculo alto para se pular e acho que é ainda mais alto para as pessoas inteligentes. As pessoas inteligentes sabem muito, e talvez isso as faça achar que sabem tudo.

— Nós temos que ir, Jamie — disse minha mãe. — Eu tenho um manuscrito pra terminar.

— Você sempre tem um manuscrito pra terminar — falei, o que a fez rir porque era verdade. Havia pilhas de coisas a serem lidas no escritório da agência e no de casa, e ambas as pilhas eram sempre altas. — Antes de irmos, conta para o professor o que aconteceu no nosso prédio ontem.

Ela se virou para o prof. Burkett.

— Foi tão estranho, Marty. Todos os disjuntores do prédio estouraram. De uma vez! O sr. Provenza, o zelador, disse que deve ter havido algum tipo de pico de luz. Ele disse que nunca tinha visto nada igual.

O professor pareceu sobressaltado.

— Só no seu prédio?

— Só no nosso — concordou ela. — Vem, Jamie. Vamos lá, deixar o Marty descansar.

Sair foi quase idêntico a chegar. O prof. Burkett me olhou de um jeito sério e eu assenti de leve.

Nós nos entendíamos.

46

Naquela noite, recebi um e-mail dele, enviado pelo iPad. Ele era a única pessoa que eu conhecia que usava uma saudação quando escrevia e que escrevia cartas de verdade em vez de coisas como *td bem* e *LOL* e *brinks*.

Prezado Jamie,

Depois que você e sua mãe foram embora hoje de manhã, fiz umas pesquisas sobre a descoberta da bomba no supermercado de Eastport, uma coisa que devia ter feito antes. O que descobri foi bem interessante. Elizabeth Dutton não apareceu de forma proeminente em nenhuma das notícias. O Esquadrão Antibombas levou a maior parte do crédito (principalmente os cachorros, porque as pessoas amam cachorros; acho que o prefeito talvez tenha até dado uma medalha para um dos cachorros). Ela foi mencionada só como "uma detetive que recebeu uma dica de uma fonte antiga". Achei peculiar ela não ter participado da coletiva de imprensa que aconteceu depois de a bomba ser desarmada e ela não ter recebido nenhum elogio oficial. Mas ela conseguiu ficar no emprego. Talvez essa fosse a única recompensa que ela queria e tudo que seus superiores acharam que ela merecia.

Considerando minha pesquisa nessa questão, junto com a estranha falta de energia no seu prédio no momento do seu confronto com Therriault e outras questões que você revelou para mim, eu me vejo incapaz de desacreditar nas coisas que você me contou.

Preciso acrescentar uma palavra de cautela. Eu não gostei da expressão de confiança no seu rosto quando você disse que era sua vez de assombrar a coisa, e que você poderia assobiar e ela viria. Talvez venha, MAS PEÇO QUE VOCÊ NÃO FAÇA ISSO. Quem anda na corda bamba às vezes cai. Os domadores de leões podem ser atacados pelos felinos que eles acreditam estarem domados. Sob certas condições, até o melhor cachorro pode se virar e morder o dono.

Meu conselho para você, Jamie, é deixar essa coisa em paz.

Com os melhores desejos do seu amigo,

Prof. Martin Burkett (Marty)

P.S.: Estou muito curioso para saber os detalhes exatos da sua experiência extraordinária. Se você puder vir me ver, eu ouviria com grande interesse. Estou supondo que você continue não querendo botar o peso da história nas costas da sua mãe, agora que parece que as coisas chegaram a uma conclusão satisfatória.

Eu respondi na mesma hora. Minha resposta foi bem mais curta, mas tomei o cuidado de escrever do mesmo jeito que ele, como uma carta de papel.

Prezado prof. Burkett,

Eu ficaria feliz em fazer isso, mas só posso na quarta-feira por causa de um passeio ao Metropolitan Museum of Art na segunda-feira e de um campeonato de vôlei de garotos contra garotas na terça-feira. Se puder ser na quarta-feira, vou depois da escola, por volta de três e meia, mas só posso ficar por uma hora. Vou dizer para a minha mãe que eu só queria te visitar, o que é verdade.

Seu amigo,
James Conklin

O prof. Burkett devia estar com o iPad no colo (eu conseguia imaginá-lo sentado na sala, com todas as fotografias antigas nos porta-retratos), porque ele respondeu na mesma hora.

Prezado Jamie,

Quarta-feira está ótimo. Vou esperá-lo às três e meia e vou oferecer biscoitos de passas. Você prefere chá ou um refrigerante?

Seu amigo,
Marty Burkett

Eu nem me dei ao trabalho de fazer minha resposta como se fosse uma carta tradicional, só digitei *Eu não me importaria de tomar café*. Depois de pensar nisso, acrescentei: *Minha mãe deixa*. Não era totalmente mentira, e ele me mandou um emoji em resposta: um sinal de positivo. Achei bem moderno.

Eu falei com o prof. Burkett de novo, mas não com bebida nem com comida. Ele não precisava mais dessas coisas porque estava morto.

47

Na manhã de terça, recebi outro e-mail dele. Minha mãe recebeu o mesmo, assim como várias pessoas.

> *Prezados amigos e colegas,*
>
> *Eu recebi uma notícia ruim. David Robertson, um velho amigo, colega e antigo chefe de departamento, sofreu um derrame ontem à noite na casa para onde foi depois que se aposentou, em Siesta Key, na Flórida. Ele está agora no Sarasota Memorial Hospital. Não se espera que ele viva nem que recupere a consciência, mas conheço Dave e sua linda esposa há mais de quarenta anos e preciso fazer essa viagem, por menos que queira, ao menos para oferecer consolo para a esposa e ir ao enterro se chegar a isso. Vou remarcar meus compromissos quando voltar.*
>
> *Estarei no Bentley's Boutique Hotel (que nome!) em Osprey durante minha estada e posso ser encontrado lá, mas a melhor forma de fazer contato comigo ainda é por e-mail. Como a maioria de vocês sabe, eu não tenho telefone celular. Peço desculpas por qualquer inconveniente.*
>
> *Atenciosamente,*
> *Prof. Martin F. Burkett (Emérito)*

— Ele é das antigas — falei para a minha mãe enquanto tomávamos café da manhã: suco de toranja e iogurte para ela, Cheerios para mim.

Ela assentiu.

— Ele é, e não existem mais muitos assim. Correr para o leito de morte de um amigo nessa idade... — Ela balançou a cabeça. — Impressionante. Admirável. E aquele e-mail!

— O prof. Burkett não escreve e-mails — falei. — Ele escreve cartas.

— Verdade, mas não era isso que eu estava pensando. Falando sério, quantos compromissos e visitantes você acha que ele tem na idade dele?

Bom, tinha um, pensei, mas não falei nada.

48

Não sei se o velho amigo do professor morreu ou não. Só sei que o professor morreu. Ele teve um ataque cardíaco no voo e estava morto no assento quando o avião pousou. Ele tinha outro velho amigo que era seu advogado, um dos destinatários do e-mail final do professor, e foi ele que recebeu a ligação. Ele assumiu a responsabilidade pelo envio do corpo, mas foi minha mãe que assumiu tudo depois. Ela fechou a agência e fez os preparativos do funeral. Fiquei orgulhoso dela por isso. Ela chorou e ficou triste porque tinha perdido um amigo. Eu fiquei tão triste quanto ela porque o amigo dela tinha virado meu amigo. Sem Liz, ele era meu único amigo adulto.

O funeral foi na igreja presbiteriana na Park Avenue, no mesmo lugar onde tinha sido o de Mona Burkett sete anos antes. Minha mãe ficou furiosa porque a filha, a que morava na Costa Oeste, não compareceu. Depois, só por curiosidade, abri o último e-mail do professor e vi que ela não foi uma das destinatárias. As únicas três mulheres que o receberam foram minha mãe, a sra. Richards (uma senhora de quem ele era amigo, do quarto andar do Palácio na Park) e Dolores Magowan, a mulher que a sra. Burkett previu erroneamente que o marido viúvo convidaria para sair para almoçar.

Procurei o professor na cerimônia da igreja, achando que, se a esposa dele tinha ido na dela, ele poderia ir na dele. Ele não estava lá, mas, desta vez, nós também fomos ao cemitério e eu o vi sentado em uma lápide a menos de dez metros das pessoas, perto o suficiente para ouvir o que estava sendo dito. Durante a oração, levantei a mão e acenei discretamente. Só um movimento dos dedos, mas ele viu e sorriu e acenou de volta. Ele era uma pessoa morta comum, não um monstro como Kenneth Therriault, e eu comecei a chorar.

Minha mãe passou o braço nos meus ombros.

49

Isso foi em uma segunda-feira, e eu não cheguei a ir ao Metropolitan Museum of Art com a minha turma. Faltei à aula para ir ao funeral e, quando voltamos, falei para a minha mãe que queria dar uma volta. Que precisava pensar.

— Tudo bem… se você estiver bem. Você *está* bem, Jamie?

— Estou — falei, e abri um sorriso para provar.

— Volte até as cinco, senão vou ficar preocupada.

— Pode deixar.

Cheguei até a porta antes de ela fazer a pergunta que eu estava esperando.

— Ele estava lá?

Eu tinha pensado em mentir, porque talvez poupasse os sentimentos dela, mas era possível que a fizesse se sentir melhor.

— Estava. Não na igreja, mas no cemitério.

— Como… como ele estava?

Eu falei que ele parecia bem e era verdade. Eles sempre estão usando as roupas de quando morreram, e no caso do prof. Burkett era um terno marrom um pouco grande para ele. Mas ele estava com aparência legal mesmo assim, na minha humilde opinião. Gostei de saber que ele vestiu um terno para andar de avião, porque era outra parte de ser das antigas. E ele não estava com a bengala, possivelmente porque não a estava segurando quando morreu ou por ter deixado cair quando o infarto aconteceu.

— Jamie? Sua velha pode ganhar um abraço antes de você sair pra andar?

Eu dei um abraço bem demorado nela.

50

Fui até o Palácio na Park, bem mais velho e mais alto do que o garotinho que saiu da escola em um dia de outono segurando a mão da mãe, com o desenho de um peru verde na outra mão. Mais velho, mais alto e talvez até mais sábio, mas ainda a mesma pessoa. Nós mudamos, mas não mudamos. Não sei explicar. É um mistério.

Eu não tinha como entrar no prédio porque não tinha chave, mas não precisei, porque o prof. Burkett estava sentado na escada, usando o terno marrom da viagem. Eu me sentei ao lado dele. Uma senhora passou com um cachorrinho peludo. O cachorro olhou para o professor. A senhora, não.

— Oi, professor.

— Oi, Jamie.

Cinco dias tinham se passado desde que ele morreu no avião e a voz dele estava fazendo aquela coisa de diminuir que normalmente acontece. Como se ele estivesse falando comigo de longe, ficando cada vez mais longe. E, embora ele parecesse tão gentil quanto sempre era, ele também parecia meio, sei lá, desconectado. A maioria fica assim. Até a sra. Burkett ficou assim, embora estivesse mais falante do que a maioria (e alguns não falam nada se não for para responder a perguntas). Seria por estarem vendo o desfile em vez de estarem participando? Acho que é quase isso, mas não exatamente. É como se eles tivessem outras coisas mais importantes na cabeça, e pela primeira vez eu me dei conta de que a minha voz devia estar distante para ele também. O mundo devia estar se apagando.

— Você está bem?

— Estou.

— Doeu? O ataque cardíaco?

— Doeu, mas passou rápido. — Ele estava olhando para a rua, não para mim. Como se guardando as informações.

— Tem alguma coisa que você precisa que eu faça?

— Só uma coisa. Nunca chame Therriault. Porque Therriault se foi. O que viria é a coisa que o possuiu. Acredito que, na literatura, esse tipo de entidade se chama *entrante*.

— Não vou chamar, prometo. Professor, por que essa coisa conseguiu possuir ele? Porque Therriault era mau por natureza? Foi por isso?

— Não sei, mas parece provável.

— Você ainda quer saber o que aconteceu quando eu o agarrei? — Eu pensei no e-mail dele. — Os detalhes?

— Não. — Isso me decepcionou, mas não me surpreendeu. As pessoas mortas perdem o interesse na vida dos vivos. — Só lembra o que eu falei.

— Vou lembrar, não se preocupe.

Uma leve sombra de irritação surgiu na voz dele.

— Eu fico pensando... Você foi absurdamente corajoso, mas também deu uma sorte absurda. Você não entende porque é só uma criança, mas acredite na minha palavra. Aquela coisa é de fora do universo. Existem horrores que ninguém consegue conceber. Se você permuta com ela, corre o risco de morrer ou ficar louco ou destruir sua própria alma.

Eu nunca tinha ouvido ninguém falar em *permutar*, acho que era outra palavra das antigas do professor, como refrigerador para geladeira. Mas entendi a ideia. E, se ele queria me assustar, tinha conseguido. Destruir minha *alma*? Meu Deus!

— Não vou chamar. Não vou mesmo.

Ele não respondeu. Só olhou para a rua com as mãos nos joelhos.

— Vou sentir saudades, professor.

— Certo. — A voz dele estava ficando cada vez mais baixa. Em pouco tempo, eu não conseguiria mais ouvir, só conseguiria ver os lábios se movendo.

— Posso perguntar só mais uma coisa? — Pergunta idiota. Quando a gente pergunta, eles têm que responder, embora nem sempre a gente possa gostar do que vai ouvir.

— Pode.

Eu fiz a minha pergunta.

51

Quando cheguei em casa, minha mãe estava fazendo salmão do jeito que gostamos, enrolado em toalhas de papel molhadas, no micro-ondas. Não parece possível que uma coisa tão simples seja tão gostosa, mas é.

— Bem na hora — disse ela. — Tem uma salada Caesar de saquinho na geladeira. Você pode servir pra mim?

— Posso. — Peguei a embalagem na geladeira, no refrigerador, e abri.

— Não esquece de lavar. O saco diz que é pré-lavado, mas não confio nisso. Use o escorredor de macarrão.

Peguei o escorredor, joguei a alface dentro e usei o borrifador.

— Eu fui até o nosso antigo prédio — falei. Eu não estava olhando para ela, estava concentrado no trabalho.

— Achei mesmo que iria. Ele estava lá?

— Estava. Eu perguntei por que a filha nunca vinha visitá-lo nem veio ao enterro. — Fechei a torneira. — Ela está em uma instituição pra doentes mentais, mãe. Ele disse que ela vai ficar lá pelo resto da vida. Ela matou o próprio bebê e depois tentou se matar.

Minha mãe estava se preparando para botar o salmão no micro-ondas, mas acabou o colocando na bancada e se sentou em um dos bancos.

— Ah, meu Deus. Mona me disse que ela era assistente em um laboratório de biologia na Caltech. Ela pareceu tão *orgulhosa*.

— O prof. Burkett disse que ela está cata alguma coisa.

— Catatônica.

— É. Isso aí...

Minha mãe estava olhando para nosso futuro jantar, a carne rosada do salmão aparecendo sob a cobertura das toalhas de papel. Ela pareceu estar pensando profundamente. De repente, a linha vertical entre as sobrancelhas sumiu.

— Então agora nós sabemos uma coisa que não devíamos saber. Está feito e não pode ser desfeito. Todo mundo tem segredos, Jamie. Você vai descobrir isso sozinho com o tempo.

Graças a Liz e Kenneth Therriault, eu já tinha descoberto, e também descobri o segredo da minha mãe.

Depois.

52

Kenneth Therriault desapareceu dos noticiários e foi substituído por outros monstros. E, como ele parou de me assombrar, também desapareceu da superfície da minha mente. Quando o outono esfriou e deu lugar ao inverno, eu continuei tendo a tendência de dar um passo para trás quando a porta do elevador se abria, mas quando fiz catorze anos essa mania já tinha desaparecido.

Eu vi outras pessoas mortas de tempos em tempos (e deve ter havido algumas que não percebi, porque elas pareciam gente normal, a não ser que tivessem morrido de ferimentos ou se eu chegasse bem perto). Vou contar sobre uma, apesar de não ter nada a ver com a minha história principal. Era um garotinho não muito mais velho do que eu no dia em que vi a sra. Burkett. Ele estava parado na divisória no meio da Park Avenue, de short vermelho e camiseta de *Star Wars*. Estava pálido como papel. Seus lábios estavam azuis. E acho que ele estava tentando chorar, embora não houvesse lágrimas. Como ele parecia vagamente familiar, eu atravessei um lado da Park e perguntei qual era o problema. Sabe como é, além de ele estar morto.

— Não consigo encontrar o caminho de casa!

— Você sabe seu endereço?

— Eu moro na Second Avenue, 490, apartamento 16B. — Ele repetiu como se fosse uma gravação.

— Tudo bem, é bem perto. Vem, garoto. Vou te levar lá.

Era um prédio chamado Kips Bay Court. Quando chegamos lá, ele se sentou no meio-fio. Ele não estava chorando mais e estava começando a ficar com aquele olhar distante que eles ficam e não gostei de deixá-lo lá, mas não sabia o que fazer. Antes de sair, eu perguntei o nome dele e ele disse que era Richard Scarlatti. Aí eu soube onde o tinha visto. A foto dele apareceu na NY1. Uns garotos maiores o afogaram no lago Swan, que fica no Central Park. Os garotos choraram pra caralho e disseram que era só brincadeira. Talvez fosse verdade. Talvez eu vá entender esse tipo de coisa depois, mas acho que não.

53

Naquela época, nós estávamos tão bem que eu poderia ter ido estudar em uma escola particular. Minha mãe me mostrou livretos da Dalton School e da Friends Seminary, mas escolhi ficar em uma pública e estudar na Roosevelt, casa dos Mustangs. E foi tudo bem. Foram bons anos para a minha mãe e para mim. Ela conseguiu um cliente superimportante que escrevia histórias sobre trolls e elfos da floresta e homens nobres que saíam em missões. Eu arrumei uma namorada, mais ou menos. Mary Lou Stein era uma espécie de intelectual gótica apesar do nome de garota comum. Era também cinéfila. Nós íamos ao Angelika uma vez por semana e nos sentávamos na fila de trás, lendo legendas.

Um dia, pouco depois do meu aniversário (eu tinha chegado à grandiosa idade de quinze anos), minha mãe mandou uma mensagem de texto e perguntou se eu podia passar na agência depois da aula em vez de ir direto para casa. Não era nada de mais, só uma notícia que ela queria me dar em pessoa.

Quando cheguei lá, ela serviu uma xícara de café para mim (incomum, mas não inédito na época) e perguntou se eu me lembrava de Jesus Hernandez. Eu falei que sim. Ele foi parceiro da Liz por alguns anos, e minha mãe me levou junto umas duas vezes quando ela e Liz jantaram com o detetive Hernandez e a esposa. Fazia muito tempo, mas é difícil esquecer um detetive de um metro e oitenta chamado Jesus, mesmo quando a pronúncia é *Rê-sus*.

— Eu amava os dreadlocks dele — comentei. — Eram irados.

— Ele me ligou pra contar que a Liz perdeu o emprego. — Minha mãe e Liz tinham terminado havia muito tempo, mas minha mãe pareceu triste mesmo assim. — Ela acabou sendo pega transportando drogas. Muita heroína, pelo que Jesus falou.

A notícia me atingiu com força. Liz não foi boa para a minha mãe depois de um tempo e também não foi boa para mim, mas foi ruim mesmo assim. Eu me lembrei dela fazendo cócegas em mim até eu quase molhar a cueca e de me sentar entre ela e a minha mãe no sofá, nós três fazendo piadas idiotas sobre os programas, e da vez que ela me levou ao zoológico do Bronx e comprou um algodão doce que era maior do que a minha cabeça. Não esqueça também que ela salvou cinquenta, talvez cem vidas que teriam sido perdidas se a última bomba do Thumper tivesse explodido. A motivação dela podia ter sido boa ou podia ter sido ruim, mas aquelas vidas foram salvas mesmo assim.

Aquela coisa dita na última discussão voltou à minha mente. *Coisa séria*, minha mãe falou.

— Ela não vai ser presa, vai?

— Bom, ela saiu pagando fiança agora, Jesus disse, mas, no fim das contas... acho que tem uma boa chance de que vá, querido.

— Ah, porra. — Pensei na Liz de macacão laranja, como as mulheres daquela série da Netflix que minha mãe via às vezes.

Ela segurou a minha mão.

— Tá, tá, tá.

54

Foi duas ou três semanas depois disso que Liz me sequestrou. Você pode dizer que ela fez isso na primeira vez, com Therriault, mas aquilo também pode ser visto como um "sequestro relâmpago". Dessa outra vez, foi pra valer. Ela não me empurrou para dentro do carro esperneando e gritando, mas me forçou mesmo assim. O que torna o que aconteceu sequestro, na minha opinião.

Eu era do time de tênis, voltando para casa depois de várias partidas de treino (que nosso treinador chamava de "aquecimento" por algum motivo idiota). Estava com a mochila nas costas e a bolsa de tênis na mão. Estava indo para o ponto de ônibus e vi uma mulher encostada em um Toyota surrado, olhando o celular. Passei direto sem nem olhar duas vezes. Nem passou pela minha cabeça que aquela mulher magrela, com o cabelo louro cor de palha voando em volta da gola de um casacão, com um suéter cinza enorme, botas de caubói surradas que desapareciam nas pernas de uma calça jeans larga, era a antiga amiga da minha mãe. A antiga amiga da minha mãe gostava de calças de boca larga de cores escuras e blusas de seda decotadas. A antiga amiga da minha mãe usava o cabelo preso em um rabo de cavalo curto. A antiga amiga da minha mãe parecia saudável.

— Ei, campeão. Uma velha amiga não merece nem um oi?

Eu parei e me virei. Por um momento, continuei sem reconhecê-la. O rosto dela estava ossudo e pálido. Havia manchas não disfarçadas por maquiagem na testa dela. Todas as curvas que admirei (de um jeito infantil, tenho que dizer) tinham sumido. O suéter largo embaixo do casaco mostrava só um rastro do que antes eram seios generosos. Meu palpite era que ela estava vinte ou vinte e cinco quilos mais magra e parecendo vinte anos mais velha.

— Liz?

— Eu mesma. — Ela abriu um sorriso para mim e o escondeu limpando o nariz com a base da mão. *Chapada*, eu pensei. *Ela está chapada.*

— Como você está?

Talvez não tenha sido a pergunta mais inteligente, mas a única em que consegui pensar considerando as circunstâncias. E tomei o cuidado de manter uma distância que considerei segura dela, para poder correr se ela tentasse alguma coisa estranha. E parecia uma possibilidade, porque ela *estava* estranha. Não como os atores fingindo serem viciados em drogas na televisão, mas como os verdadeiros que a gente vê de tempos em tempos, cochilando em bancos de parques ou nas entradas de prédios abandonados. Acho que Nova York está bem melhor do que era, mas os drogados ainda são parte ocasional do cenário.

— Como eu pareço estar? — Ela riu, mas não de um jeito alegre. — Nem responde. Mas, ei, nós fizemos um carnaval naquela época, hein? Eu mereço mais crédito por aquilo do que ganhei, mas e daí, a gente salvou várias vidas.

Pensei em tudo pelo que eu passei por causa dela. Nem foi só por causa de Therriault. Ela fodeu a vida da minha mãe. Liz Dutton fez nós dois passarmos momentos horríveis, e ali estava ela de novo. Uma maçã podre, aparecendo quando a gente menos espera. Fiquei com raiva.

— Você não mereceu *nenhum* crédito. Fui eu que fiz ele falar. E paguei um preço por isso. Você nem vai querer saber.

Ela inclinou a cabeça.

— Claro que quero. Me conta sobre o preço que você pagou, campeão. Uns pesadelos com o buraco na cabeça dele? Se você quer saber de pesadelos, dá uma olhada em três criaturas torradas em um carro queimado, sendo uma delas uma criança em uma cadeirinha de carro. Qual foi o preço que você pagou?

— Esquece — falei, e saí andando.

Ela esticou a mão e segurou a alça da minha bolsa de tênis.

— Não tão rápido. Preciso de você de novo, campeão, então se prepara.

— De jeito nenhum. E solta minha bolsa.

Ela não soltou e eu puxei. Ela caiu de joelhos, soltando um gritinho e deixando a alça escapar.

Um homem que estava passando parou e me olhou do jeito que os adultos olham para os adolescentes quando os veem fazendo uma coisa ruim.

— Não se faz isso com uma mulher, garoto.

— Vai se foder — disse Liz para ele, se levantando. — Sou da polícia.

— O.k, o.k. — disse o homem, e saiu andando. Ele não olhou para trás.

— Você não é mais da polícia. E eu não vou a lugar nenhum com você. Não quero nem falar com você, então me deixa em paz.

Eu ainda estava me sentindo meio mal por ter puxado com tanta força que ela caiu de joelhos. Eu me lembrava dela de joelhos no nosso apartamento, mas porque estava brincando de carrinho Matchbox comigo. Tentei dizer para mim mesmo que aquilo havia sido em outra vida, mas não deu certo porque não foi em outra vida. Foi na minha vida.

— Ah, mas você *vem*. Se não quiser que o mundo todo saiba quem realmente escreveu o último livro do Regis Thomas, claro. O maior best-seller que arrancou a Thia da falência bem a tempo? O best-seller *póstumo*?

— Você não faria isso. — E, quando o choque do que ela disse diminuiu um pouco: — Você não *pode* fazer isso. Seria a sua palavra contra a da minha mãe. A palavra de uma traficante de drogas. Além de drogada, pelo que parece, e quem acreditaria em você? Ninguém!

Ela tinha guardado o celular no bolso. Agora, ela o pegou.

— Thia não foi a única gravando naquele dia. Escuta isso.

O que ouvi deu um nó no meu estômago. Era a minha voz, bem mais jovem, mas ainda minha, dizendo para a minha mãe que Purity encontraria a chave que estava procurando debaixo de um toco podre de árvore no caminho para o lago Roanoke.

Minha mãe: "Como ela vai saber que toco?".

Uma pausa.

Eu: "Martin Betancourt fez uma cruz com giz nele".

Minha mãe: "O que ela faz com a chave?".

Uma pausa.

Eu: "Leva pra Hannah Royden. Elas vão juntas ao pântano e encontram a caverna".

Minha mãe: "Hannah faz a Fogueira da Busca? A mesma coisa que quase fez ela ser enforcada como bruxa?".

Uma pausa.

Eu: "Isso mesmo. E ele diz que George Threadgill vai atrás delas. E ele diz que olhar pra Hannah deixa George intumescido. O que é isso, mãe?".

Minha mãe: "Não imp...".

Liz parou a gravação aí.

— Eu gravei bem mais. Não tudo, mas pelo menos uma hora. Não tenha dúvida, campeão: isso é você dizendo pra sua mãe o enredo do livro que *ela* escreveu. E *você* seria uma parte maior da história. James Conklin, o garoto médium.

Fiquei olhando para ela e meus ombros murcharam.

— Por que você não me mostrou isso antes? Quando a gente foi procurar o Therriault?

Ela olhou para mim como se eu fosse burro. Provavelmente porque eu era.

— Eu não precisei. Naquela época, você era um garoto fofo que queria fazer a coisa certa. Agora, você tem quinze anos, tem idade pra ser um pentelho. E isso pode até ser direito seu como adolescente, acho, mas essa é uma discussão que vai ter que ficar pra outro dia. Agora, a pergunta é a seguinte: você vai entrar no carro pra dar uma volta comigo ou vou procurar o repórter que conheço no *Post* pra dar pra ele um furo incrível sobre a agente literária que falsificou o último livro do cliente morto com a ajuda do filho que tem percepção extrassensorial?

— Dar uma volta até onde?

— Vai ser um passeio surpresa, campeão. Entra e descobre.

Eu não vi escolha.

— Tudo bem, mas só uma coisa. Para de me chamar de campeão, como se eu fosse seu cavalinho de estimação.

— Tudo bem, campeão. — Ela sorriu. — Brincadeira, é só brincadeira. Entra, Jamie.

Eu entrei.

55

— Com que pessoa morta vou ter que falar desta vez? Seja lá quem for e o que quer que a pessoa saiba, acho que não vai impedir que você vá pra prisão.

— Ah, eu não vou pra prisão — disse ela. — Não acho que eu curtiria a comida e muito menos a companhia.

Nós passamos por uma placa indicando a ponte Cuomo, que todo mundo em Nova York ainda chama de Tappan Zee, ou só Tap. Eu não gostei disso.

— Aonde estamos indo?

— Renfield.

O único Renfield que eu conhecia era o ajudante comedor de moscas do Conde em *Drácula*.

— Onde fica isso? Em Tarrytown?

— Não. É uma cidadezinha ao norte de New Paltz. Vamos levar duas ou três horas, então relaxa e aprecia a viagem.

Fiquei olhando para ela, mais do que alarmado, quase horrorizado.

— Você só pode estar de sacanagem! Eu tenho que voltar pra casa pro *jantar*!

— Tudo indica que Thia vai comer em um esplendor solitário hoje. — Ela pegou um frasquinho com um pó branco-amarelado no bolso do casaco, do tipo que tem uma colherzinha dourada presa na parte de dentro da tampa. Abriu-o com uma das mãos, virou um pouco do pó nas costas da mão que estava usando para dirigir e cheirou. Fechou a tampa, ainda com apenas uma das mãos, e guardou o frasco. A destreza e velocidade do processo denunciaram a prática que ela tinha.

Ela viu minha expressão e sorriu. Seus olhos estavam com um novo brilho.

— Nunca viu ninguém fazer isso? Que vida protegida você tem, Jamie.

Eu já tinha visto adolescentes fumando maconha, já tinha até experimentado, mas coisas mais pesadas? Não. Já tinham me oferecido ecstasy em um baile da escola, mas recusei.

Ela passou a palma da mão no nariz de novo, um gesto não muito encantador.

— Eu ofereceria um pouco, porque acredito em dividir, mas essa é minha mistura especial: cocaína e heroína, em dois pra um, com um toque de fentanila. Eu desenvolvi tolerância. Ia fazer sua cabeça explodir.

Talvez ela tivesse mesmo tolerância, mas deu para perceber quando fez efeito. Ela se sentou mais ereta e começou a falar mais rápido, mas pelo menos ainda estava dirigindo direito e dentro do limite de velocidade.

— Isso é culpa da sua mãe, sabe. Durante anos, eu só levei as drogas do Ponto A, que costumava ser a marina da rua 79 ou o aeroporto Stewart, para o Ponto B, que podia ser qualquer lugar dos cinco distritos. No começo, era só cocaína, mas os tempos mudaram por causa do OxyContin. Essa merda vicia rápido, tipo *pá-pum*. Quando os médicos pararam de fornecer, os viciados começaram a comprar nas ruas. Então o preço subiu e eles perceberam que dava pra ter a mesma onda com uma carreira da branquinha, e mais barato. Aí recorreram a isso. É isso que o homem que estamos indo encontrar fornecia.

— O homem que está morto.

Ela franziu a testa.

— Não me interrompe, moleque. Você queria saber, eu estou contando.

A única coisa que me lembro de querer saber era aonde estávamos indo, mas não falei isso. Eu estava tentando não sentir medo. Estava dando um pouco certo porque ela ainda era a Liz, mas não muito porque ela não parecia em nada com a Liz que eu conheci.

— Não usa o que você fornece, é o que dizem, é o mantra, mas, depois que a Thia me expulsou de casa, comecei a experimentar um pouco. Só pra não ficar deprimida demais. Depois, comecei a experimentar muito. Depois de um tempo, não dava mais pra chamar de experimentar. Eu já estava usando.

— A minha mãe te expulsou porque você levou esse lixo pra nossa casa. A culpa foi sua.

Provavelmente seria mais inteligente ficar calado, mas não consegui me segurar. Ela tentar culpar minha mãe pelo que se tornou me deixou com raiva de novo. De qualquer forma ela nem prestou atenção.

— Mas vou te dizer uma coisa, cam... Jamie. Eu nunca injetei — ela falou com uma espécie de orgulho desafiador. — Nem uma vez. Porque quando a gente cheira a gente tem chance de se livrar. Quem injeta nunca mais volta.

— Seu nariz está sangrando. — Era só um filete descendo pelo vão que fica entre o nariz e o lábio superior.

— Ah, é? Valeu. — Ela limpou com a base da mão de novo e se virou para mim por um segundo. — Eu limpei tudo?

— Aham. Agora, olha pra estrada.

— Sim, senhor fiscal — disse ela, e por um momento pareceu a antiga Liz. Não partiu meu coração, mas o apertou um pouquinho.

Nós dirigimos. O trânsito não estava ruim para uma tarde de dia de semana. Eu pensei na minha mãe. Ela ainda devia estar na agência, mas logo iria para casa. No começo, não ia se preocupar. Depois, se preocuparia um pouco. E depois, muito.

— Posso ligar pra minha mãe? Não vou dizer onde eu estou, só que estou bem.

— Claro. Pode ligar.

Peguei o celular do bolso e, de repente, o aparelho sumiu. Ela o pegou com a velocidade de um lagarto pegando um inseto. Antes que eu percebesse o que estava acontecendo, ela tinha aberto a janela e jogado o aparelho na estrada.

— Por que você fez isso? — gritei. — Era meu!

— Que bom que você me lembrou do seu celular. — Agora estávamos seguindo as placas para a I-87, a Thruway. — Eu tinha esquecido. Não é à toa que chamam isso de entorpecente, sabe. — E ela riu.

Eu dei um soco no ombro dela. O carro foi para o lado, mas voltou a seguir em linha reta. Buzinaram para nós. Liz lançou outro olhar para mim, mas ela não estava sorrindo agora. Ela estava com o olhar que devia fazer quando estava lendo os direitos das pessoas. Dos meliantes.

— Se você me bater de novo, Jamie, vou bater nas suas bolas com tanta força que vou te fazer vomitar. Deus sabe que não seria a primeira vez que alguém ia vomitar nessa lata-velha.

— Você quer tentar brigar comigo enquanto dirige?

Agora o sorriso voltou, os lábios se abrindo só o suficiente para eu ver as pontas dos dentes.

— Quer ver?

Eu não quis. Não tentei nada, nem (caso você esteja querendo saber) gritar para chamar a criatura que habitava Therriault, embora ela estivesse agora teoricamente sob meu comando: eu assobio e você vem a mim, meu rapaz, lembra disso? A verdade é que ele (ou *ela*) nem passou pela minha cabeça. Eu esqueci, do mesmo jeito que a Liz esqueceu de tirar meu celular de cara, e eu nem tinha cheirado droga para botar a culpa nisso. Talvez não tivesse chamado de qualquer forma. Quem sabia se ela viria? E, se viesse... bom, eu tinha medo da Liz, mas tinha mais medo da coisa da luz morta. *Morrer, ficar louco, destruir sua própria alma*, o professor dissera.

— Pensa bem, moleque. Se você ligasse e dissesse que estava bem, mas dando uma volta com a sua velha amiga Liz Dutton, você acha que ela só diria "Tudo bem, Jamie, ótimo, manda ela comprar alguma coisa pra você jantar"?

Eu não falei nada.

— Ela ia chamar a polícia. Mas isso não é o mais importante. Eu devia ter me livrado do seu celular na mesma hora porque ela pode rastrear.

Eu arregalei os olhos.

— Pode porra *nenhuma*!

Liz assentiu, sorrindo de novo, os olhos na estrada novamente enquanto nós passávamos por um caminhão de cabine dupla.

— Ela botou um aplicativo de localização no primeiro celular que te deu, quando você tinha dez anos. Fui eu que ensinei como esconder, pra você não encontrar e ficar todo putinho.

— Eu ganhei um celular novo dois anos atrás — murmurei. Havia lágrimas ardendo nos cantos dos meus olhos, não sei por quê. Eu me senti... não sei qual é a palavra. Espera aí, talvez eu saiba, sim. *Ludibriado*. Eu me senti ludibriado.

— Você acha que ela não botou o aplicativo no celular novo? — Liz soltou uma gargalhada amarga. — Você está de sacanagem? Você é o único filho dela, moleque, o principezinho dela. Ela vai continuar te rastreando daqui a dez anos, quando você estiver casado, trocando a fralda do seu primeiro filho.

— Mentirosa filha da puta — falei, mas falei olhando para o meu colo.

Ela cheirou um pouco mais da mistura especial quando saímos da cidade, os movimentos ágeis e treinados como antes, mas, desta vez, o carro *oscilou* um pouco, e recebemos outra buzinada de reclamação. Pensei em uma luz da polícia nos iluminando e primeiro achei que seria bom, que acabaria com aquele pesadelo, mas talvez não fosse bom. No estado pilhado em que ela estava, Liz poderia tentar fugir de um policial e acabar matando nós dois. Pensei no cara do Central Park. O rosto e o tronco dele tinham sido cobertos pela jaqueta de alguém para que os passantes não vissem o pior, mas eu vi.

Liz se animou de novo.

— Você seria um detetive e tanto, Jamie. Com sua habilidade particular, seria uma estrela. Nenhum assassino escaparia porque você poderia falar com as vítimas.

Essa ideia já tinha passado pela minha cabeça uma ou duas vezes. James Conklin, Detetive dos Mortos. Ou talvez *pelos* mortos. Eu nunca cheguei a uma conclusão de qual soava melhor.

— Mas não da polícia de Nova York — continuou ela. — São todos uns babacas do caralho. Seja detetive particular. Até consigo ver seu nome na porta. — Ela levantou as duas mãos do volante para indicar uma moldura.

Outra buzinada.

— Dirige a porra do carro — falei, tentando não parecer alarmado. Não deve ter dado certo, porque eu *estava* alarmado.

— Não se preocupa comigo, campeão. Eu já esqueci mais sobre dirigir do que você vai aprender na sua vida toda.

— Seu nariz está sangrando de novo.

Ela limpou com a base da mão e limpou a mão no suéter. Não pela primeira vez, ao que parecia.

— Meu septo já era — disse ela. — Vou ter que consertar. Quando eu estiver limpa.

Depois disso, ficamos em silêncio por um tempo.

56

Depois que pegamos a Thruway, Liz se serviu de outra porção da sua mistura especial. Eu diria que ela estava começando a me assustar, mas já tínhamos passado muito desse ponto.

— Quer saber como chegamos aqui? Eu e você, Holmes e Watson partindo pra mais uma aventura?

Aventura não era a palavra que eu teria escolhido, mas não falei nada.

— Estou vendo pela sua cara que não. Tudo bem. A história é longa e não é muito interessante, mas vou contar só o seguinte: nenhuma criança nunca disse que queria ser mendigo, reitor de faculdade ou policial corrupto quando crescesse. Nem coletar lixo no condado de Westchester, que é o que meu cunhado faz atualmente.

Ela riu, mas eu não entendi na ocasião o que havia de engraçado em ser lixeiro.

— Tem uma coisa que *pode* te interessar. Eu levei muita droga do Ponto A para o Ponto B e fui paga por isso, mas o pó que a sua mãe achou no bolso do meu casaco naquela vez era só um frila pra um amigo. É irônico se a gente pensar bem. Naquela época, a Divisão de Assuntos Internos já estava de olho em mim. Não tinham certeza, mas quase. Eu morri de medo da Thia falar. Aquela era a hora de eu parar, mas já não dava mais. — Ela fez uma pausa e pensou. — Ou eu não quis. Ao olhar pra trás, é difícil saber qual das duas coisas. Mas me faz pensar em uma coisa que Chet Atkins disse uma vez. Você já ouviu falar de Chet Atkins?

Eu balancei a cabeça.

— Como os grandes são esquecidos rápido. Joga no Google quando você voltar. Um excelente guitarrista, no nível do Clapton e do Knopfler. Ele estava falando em como era péssimo em afinar o instrumento. "Quando percebi que não era bom nessa parte do trabalho, eu já estava rico demais pra parar." Foi assim comigo e minha carreira de transportadora. Mas vou te dizer uma coisa, já que estamos matando tempo aqui na New York Thruway. Você acha que a sua mãe foi a única que sofreu quando a economia deu ruim em 2008? Não é verdade. Eu tinha um portfólio de aplicações, que era bem pequenininho, mas era meu, e virou pó.

Ela passou por outra mudança de faixa e tomou o cuidado de ligar a seta antes de ir para a esquerda e depois voltar para a direita. Considerando a quantidade de droga que ela tinha aspirado, eu fiquei impressionado. E grato. Eu não queria estar com ela, mas, mais do que isso, não queria morrer com ela.

— Mas o principal foi minha irmã, Bess. Ela se casou com um cara que trabalhava em uma das empresas grandes de investimento. Você não deve conhecer a Bear Stearns, do mesmo jeito que não conhecia Chet Atkins, né?

Eu não sabia se devia fazer que sim ou que não, então fiquei parado.

— O Danny, meu cunhado, que agora está se formando em gerenciamento de resíduos, estava começando na Bear quando a Bess se casou com ele, mas tinha um caminho claro pela frente. O futuro era tão brilhante que ele tinha que usar óculos de sol, se posso pegar emprestada a letra de uma música antiga. Eles compraram uma casa em Tuckahoe Village. Com hipoteca alta, mas todo mundo garantiu a eles, inclusive eu, malditos olhos esses meus, que os valores de propriedade naquela área só iam subir. Tipo o mercado de ações. Eles arrumaram uma *au pair* para o filho. Entraram de sócios no country club. Eles exageraram? Pra caralho. Bessie olhou com desprezo pros meus reles setenta mil por ano? Sem dúvida. Mas sabe o que meu pai dizia?

Como eu poderia saber?, pensei.

— Ele dizia que quem tenta fugir da própria sombra acaba caindo de cara. Danny e Bess estavam falando em mandar fazer uma piscina quando a casa caiu. A Bear Stearns era especializada em garantia hipotecária e, de repente, o papel que eles tinham era mesmo só papel.

Ela estava falando nisso quando passamos por uma placa que dizia NEW PALTZ 95 POUGHKEEPSIE 112 e RENFIELD 125. Estávamos a pouco mais de uma hora do nosso destino final, olhar para aquela placa me deu uma sensação de premonição e a ideia me deu arrepios. *Premonição* foi um filme de terror bem nojento que vi com meus amigos. Não chegava aos pés da série *Jogos mortais*, mas foi bem sangrento.

— A Bear Stearns? Que piada. Em uma semana as ações eram vendidas por mais de cento e setenta dólares cada, na seguinte valiam dez pratas. A JP Morgan Chase catou os caquinhos. Outras empresas seguiram pelo mesmo caminho. Os figurões do topo se saíram bem, eles sempre se saem. Os pequenos, nem tanto. Entra no YouTube, Jamie, e você vai encontrar vídeos de pessoas saindo dos prédios comerciais chiques de Midtown com as carreiras inteiras em caixas de papelão. Danny Miller foi um desses caras. Seis meses depois de entrar no Green Hills Country Club, ele estava na traseira de um caminhão de lixo Greenwise. E ele foi um dos que tiveram sorte. Quanto à casa, estava no negativo. Sabe o que isso quer dizer?

Por acaso, eu sabia.

— Eles deviam mais do que ela valia.

— Muito bem, cam... Jamie. Pode ficar na frente da turma. Mas era o único bem que eles tinham, sem mencionar um lugar onde Bess, Danny e minha sobrinha Francine podiam deitar a cabeça no travesseiro protegidos da chuva. Bess disse que tinha amigos dormindo em trailers. Quem você acha que ajudou pra eles conseguirem manter os pagamentos daquele elefante branco com quatro quartos?

— Imagino que tenha sido você.

— Certo. Bess parou de esnobar meus setenta mil por ano, isso eu posso garantir. Mas dava pra fazer isso só com meu salário e todas as horas extras que eu pudesse fazer? Não mesmo. Ou por causa do trabalho de meio período como segurança em algumas boates que eu arrumei? *Outro* não mesmo. Mas eu conheci gente lá, fiz contatos, recebi propostas. Certas linhas de trabalho não sofrem com a recessão. Funerárias sempre se viram. Empresas de cobrança e de empréstimo pra fianças. Lojas de bebida. E o ramo das drogas. Porque, tanto nos bons quanto nos maus momentos, as pessoas vão querer ficar chapadas. E, é verdade, eu gosto de coisas boas. Não vou me desculpar por isso. Acho as coisas boas um consolo e sentia que as merecia. Eu estava garantindo o telhado acima da cabeça da minha irmã, depois de tantos anos em que Bess me esnobou por ser mais bonita, mais inteligente, por ter estudado em uma faculdade de verdade e não comunitária. E, claro, ela era *hétero*. — Liz quase rosnou quando falou isso.

— O que houve? Como você perdeu o emprego?

— A Divisão de Assuntos Internos me pegou de surpresa com um teste de urina para o qual eu não estava preparada. Não que eles já não soubessem, mas eles não podiam se livrar de mim facilmente depois que contribuí com Therriault. Não pegaria bem. Então eles esperaram, e acho que foi uma decisão inteligente. Depois, quando me pegaram, ou quando acharam que pegaram, eles tentaram me usar. Me botar pra usar escuta e toda aquela merda estilo *Serpico*. Mas tem outra coisa que dizem, uma coisa que não aprendi com o meu pai: quem dedura leva atadura. E eles não sabiam que eu tinha um ás na manga.

— Que ás? — Pode me achar burro se quiser, mas foi uma pergunta honesta.

— Você, Jamie. Você é meu ás. E depois de Therriault, eu sabia que chegaria uma hora em que eu teria que usá-lo.

57

Nós atravessamos o centro de Renfield, que devia ter uma grande população de universitários, a julgar por todos os bares, livrarias e lanchonetes na única rua principal. Do outro lado, a rua virava para oeste e começava a subir pelas Catskills. Depois de uns cinco quilômetros, nós chegamos a uma área de piqueniques com vista para o rio Wallkill. Liz entrou ali e desligou o motor. Éramos os únicos lá. Ela pegou o frasco de mistura especial, pareceu que ia desenroscar a tampa, mas depois guardou. O casaco se abriu e vi mais manchas de sangue seco no suéter. Pensei nela dizendo que o septo já era. Pensar em como o pó que ela cheirava estava corroendo a carne dela por dentro foi pior que os filmes *Premonição* e *Jogos mortais* porque era real.

— Hora de te contar por que eu te trouxe aqui, moleque. Você precisa saber o que esperar e o que eu espero de você. Acho que não vamos continuar amigos depois, mas pode ser que dê pra nos despedirmos em termos relativamente bons.

Duvido foi outra coisa que eu não disse.

— Se você quiser saber como o ramo das drogas funciona, assista à série *A escuta*. Ela se passa em Baltimore e não em Nova York, mas o ramo das drogas não muda muito de lugar pra lugar. É uma pirâmide, como qualquer outra organização com muito dinheiro. Tem os traficantes menores na parte de baixo, e a maioria *é* menor de verdade, e quando eles são pegos eles são julgados como menores de idade. Na vara de família um dia, de volta à esquina das ruas no seguinte. Depois vem os traficantes sênior, os que servem as casas noturnas, que foi onde eu fui recrutada. E tem os figurões, que economizam comprando no atacado.

Ela riu, e eu também não entendi o que havia de engraçado nisso.

— Se subirmos um pouco, temos os fornecedores, os executivos juniores que deixam as coisas funcionando com tranquilidade, os contadores, os advogados e os caras grandes de verdade. É tudo compartimentalizado, ou pelo menos é pra ser assim. As pessoas de baixo sabem quem está diretamente acima, mas mais nada. As pessoas do meio conhecem todo mundo abaixo, mas só uma camada acima também. Eu era diferente. Estava fora da pirâmide. Fora da, hã, hierarquia.

— Porque você era transportadora. Como naquele filme do Jason Statham.

— Basicamente isso. Os transportadores só devem conhecer duas pessoas, as que nos entregam a carga no Ponto A e as que a recebem no Ponto B. As do Ponto B são distribuidoras sênior, que botam a droga pra se espalhar pirâmide abaixo e levam até seu destino final, os usuários.

"Só que, sendo policial, ainda que corrupta, eu presto atenção, né? Não faço muitas perguntas porque fazer isso é perigoso, mas eu escuto. Além do mais, eu tenho acesso, ou tinha, às bases de dados da polícia de Nova York e do departamento antidrogas. Não foi difícil rastrear a pirâmide até o topo. Tem umas doze pessoas importando os três principais tipos de drogas pras regiões de Nova York e da Nova Inglaterra, mas o que eu estava procurando mora aqui em Renfield. Morava, devo dizer. O nome dele é Donald

Marsden, e, quando ele declarava imposto, ele listava desenvolvedor como antiga ocupação e *aposentado* como atual. Ele está aposentado, sim."

Morava, devo dizer. Aposentado.

Era Kenneth Therriault tudo de novo.

— O garoto entendeu — disse Liz. — Fantástico. Você se importa se eu fumar? Eu não devo cheirar mais nada até isso acabar. Depois, vou me permitir uma dose dupla. É o limite pra pressão arterial.

Ela não esperou que eu desse permissão, só acendeu o cigarro. Mas, pelo menos, ela abriu a janela para a fumaça sair. A maior parte, pelo menos.

— Donnie Marsden era conhecido pelos colegas, pela *equipe* dele, como Donnie Grandão, e por um bom motivo. Ele era um filho da puta gordo pra caralho, e peço perdão por ser politicamente incorreta. Cento e cinquenta quilos era pouco, ele estava quase nos duzentos. Ele estava pedindo e aconteceu ontem. Hemorragia cerebral. Explodiu o cérebro dele e nem precisou de arma.

Ela tragou fundo e jogou o cigarro pela janela. A luz do dia continuava forte, mas as sombras estavam ficando compridas. Em pouco tempo, a luz começaria a sumir.

— Uma semana antes do derrame, eu soube por dois dos meus antigos contatos, dois caras do Ponto B com quem mantive amizade, que Donnie recebeu um carregamento da China. Um carregamento *enorme*, eles disseram. Não de pó, de comprimidos. OxyContin genérico, muita quantidade pra venda pessoal do Donnie. Talvez uma espécie de bônus. Esse é meu palpite, pelo menos, porque não *existe* topo da pirâmide, Jamie. Até os chefes têm chefes.

Isso me fez pensar em uma coisa que minha mãe e o tio Harry cantarolavam às vezes. Eles aprenderam quando eram crianças, acho, e o tio Harry continuou lembrando mesmo quando todas as coisas importantes já tinham desaparecido da cabeça dele. *As pulgas grandes têm pulguinhas nas costas que as mordem, e as pulguinhas têm pulgas menores ainda, e assim eternamente.* Acho que eu talvez cantarole isso para os meus próprios filhos um dia. Se tiver a oportunidade de tê-los, claro.

— Comprimidos, Jamie. *Comprimidos!* — Ela pareceu extasiada, e isso foi sinistro demais. — Fácil de transportar e mais fácil ainda de vender! *Enorme* podia significar dois ou três mil, talvez *dez* mil. E o Rico, um dos meus caras do Ponto B, diz que são de quarenta miligramas. Sabe quanto custam os comprimidos de quarenta miligramas nas ruas? Deixa pra lá, eu sei que você não sabe. Oitenta pratas por comprimido. E sem o estresse da trabalheira de transportar heroína em sacos de lixo, dá pra carregar isso em uma porra de mala.

Saiu fumaça pelos lábios dela, e ela ficou olhando a fumaça voar na direção das grades com a placa dizendo FIQUE LONGE DA BEIRADA.

— Nós vamos pegar esses comprimidos, Jamie. Você vai descobrir onde ele guardou. Meus amigos pediram pra entrar na jogada se eu conseguisse descobrir, e claro que eu disse sim, mas esse negócio é meu. Além do mais, podem não ser dez mil comprimidos. Podem ser só oito mil. Ou oitocentos.

Ela inclinou a cabeça e a balançou. Como se discutindo com ela mesma.

— Vão ser uns dois mil. Dois mil pelo menos, tem que ser. Provavelmente mais. O bônus executivo do Donnie por fazer um bom trabalho de fornecimento pra clientela de Nova York. Mas, se eu começar a dividir, daqui a pouco só sobram uns trocados idiotas, e eu não sou idiota. Tenho um probleminha com drogas, mas isso não me torna idiota. Sabe o que eu vou fazer, Jamie?

Eu fiz que não com a cabeça.

— Vou pra Costa Oeste. Vou desaparecer desta parte do mundo pra sempre. Com roupas novas, outra cor de cabelo, uma nova eu. Vou encontrar alguém lá que compre esse Oxy. Posso não conseguir oitenta por comprimido, mas vou conseguir bastante, porque o Oxy ainda é muito especial, e essa porra chinesa é tão boa quanto a de verdade. Depois, vou arrumar uma nova identidade que combine com meu cabelo novo e as roupas novas. Vou pra uma reabilitação e vou ficar limpa. Vou arrumar um emprego, talvez do tipo em que eu possa começar a compensar o passado. Expiação é como os católicos chamam. Que tal?

Parece um sonho alucinado, pensei.

Deve ter ficado evidente na minha cara, porque o sorriso feliz que ela tinha aberto congelou.

— Você não acha que vai dar certo? Tudo bem. Observe.

— Eu não quero observar — falei. — Quero ir pra bem longe de você.

Ela levantou a mão e eu me encolhi no banco, achando que ela pretendia me bater, mas ela só suspirou e limpou o nariz.

— Não posso te culpar por isso. Então, vamos fazer acontecer. A gente vai até a casa dele, a última na estrada Renfield, totalmente isolada, e você vai perguntar pra ele onde estão os comprimidos. Meu palpite é que estão no cofre pessoal dele. Se estiverem lá, você vai pedir a combinação. Ele vai ter que contar, porque os mortos não podem mentir.

— Eu não tenho certeza disso — falei, uma mentira que provava que eu ainda estava vivo. — Não é como se eu tivesse perguntado coisas a centenas deles. Na maior parte das vezes, eu nem falo com eles. Por que falaria? Eles estão mortos.

— Mas Therriault te contou onde estava a bomba, apesar de não querer contar.

Eu não podia discutir com isso, mas havia outra possibilidade.

— E se o cara não estiver lá? E se estiver no lugar pra onde o corpo foi? Ou sei lá, e se estiver visitando os pais na Flórida? Pode ser que, depois de mortos, eles possam se teletransportar pra qualquer lugar.

Eu achei que isso a abalaria, mas ela não pareceu nada incomodada.

— O Thomas estava na casa dele, não estava?

— Isso não quer dizer que *todos* ficam, Liz!

— Tenho quase certeza de que Marsden vai estar. — Ela pareceu bem segura. Ela não entendia que os mortos podem ser imprevisíveis. — Vamos fazer isso. E vou te conceder seu maior desejo. Você nunca mais vai precisar me ver.

Ela disse isso de um jeito triste, como se eu devesse sentir pena dela, mas eu não senti. A única coisa que senti foi medo.

58

A estrada foi subindo em várias curvas em S. No começo, havia algumas casas com caixas de correspondência perto da estrada, mas foram ficando cada vez mais afastadas. As árvores começaram a se adensar, as sombras se encontrando e fazendo parecer que era mais tarde ainda.

— Quantos você acha que existem? — perguntou Liz.

— Hã?

— Gente como você. Gente que vê os mortos.

— Como eu posso saber?

— Você já encontrou mais alguém?

— Não, mas esse não é o tipo de coisa sobre a qual a gente fala. Ninguém começa uma conversa dizendo "Ei, você vê gente morta?".

— Acho que não mesmo. Mas você não puxou da sua mãe. — Como se ela estivesse falando da cor dos meus olhos ou do meu cabelo cacheado. — E seu pai?

— Eu não sei quem ele é. Ou era. Sei lá. — Falar sobre o meu pai me deixava desconfortável, provavelmente porque minha mãe se recusava a fazer isso.

— Você nunca perguntou?

— Claro que perguntei. Ela não responde. — Eu me virei no banco para olhar para ela. — Ela nunca falou nada sobre isso... sobre ele... pra você?

— Eu perguntei e consegui a mesma coisa que você. Um muro. Não é nem um pouco a cara da Thia.

Mais curvas, mais fechadas agora. Wallkill estava bem abaixo de nós, cintilando no sol do fim da tarde. Ou talvez fosse começo da noite. Eu tinha deixado meu relógio em casa, na mesa de cabeceira, e o relógio do painel marcava oito e quinze, todo errado. Enquanto isso, a qualidade da estrada estava piorando. O carro da Liz passou em pedaços irregulares e sacolejou em buracos.

— Talvez ela estivesse tão bêbada que não lembra. Talvez ela tenha sido estuprada. — Nenhuma das duas ideias tinha passado pela minha cabeça e eu me encolhi. — Não faça essa cara de choque. Só estou supondo. E você tem idade pra pelo menos considerar o que sua mãe pode ter passado.

Eu não a contradisse em voz alta, mas, na minha mente, sim. Na verdade, eu achei que ela estava falando um monte de merda. Alguém chega a ter idade na vida para imaginar se sua vida é resultado de sexo em um momento de blecaute no banco de trás do carro de algum estranho ou que sua mãe foi agarrada em um beco escuro e estuprada? Eu acho que não. O fato de Liz achar que sim provavelmente disse tudo que eu precisava saber sobre o que ela tinha se tornado. Talvez o que ela sempre tivesse sido.

— Pode ser que esse talento tenha vindo do seu pai. Pena que você não pode perguntar pra ele.

Eu achava que não perguntaria nada se o encontrasse. Achava que só ia dar um soco na cara dele.

— Por outro lado, pode ter vindo do nada. Eu cresci em uma cidadezinha em Jersey e tinha uma família na nossa rua, os Jones. Marido, mulher e cinco filhos em um trailer velho. Os pais eram burros como portas e quatro das crianças também. O quinto era a porra de um gênio. Aprendeu a tocar violão sozinho aos seis anos, pulou dois anos na escola, foi para o ensino médio com doze anos. De onde *aquilo* veio? Não faço ideia.

— Pode ser que a sra. Jones tenha transado com o carteiro — falei. Era uma coisa que eu tinha ouvido na escola. Fez Liz gargalhar.

— Você é uma figura, Jamie. Queria que ainda pudéssemos ser amigos.

— Então você devia ter agido como minha amiga — falei.

59

O asfalto terminou de repente, mas a estrada de terra que vinha depois era até melhor: bem batida, compactada, lisa. Havia uma placa laranja enorme que dizia ESTRADA PARTICULAR, NÃO ENTRE.

— E se tiver gente aí? — perguntei. — Tipo guarda-costas?

— Se tivesse, seria pra proteger o corpo. Mas o corpo já foi levado, e o cara que cuidava do portão também não vai estar aí. Não havia ninguém além do jardineiro e da empregada. Se você está imaginando um cenário de filme de ação, com homens de ternos pretos e óculos de sol e semiautomáticas protegendo o rei das drogas, esquece. O cara no portão era o único armado, e, mesmo se o Teddy por acaso ainda estiver aí, ele me conhece.

— E a esposa do sr. Marsden?

— Não tem esposa. Ela foi embora cinco anos atrás. — Liz estalou os dedos. — Sumiu no ar. Puff.

Nós fizemos outra curva. Uma montanha cheia de abetos podia ser vista à frente e bloqueava a metade oeste do céu. O sol brilhava por um trecho de vale, mas se poria em breve. Na nossa frente havia um portão feito de estacas de ferro. Fechado. Havia um interfone e um teclado numérico de um lado. Do outro lado do portão havia uma guarita, supostamente onde o homem que cuidava do portão passava o tempo.

Liz parou, desligou o carro e guardou a chave.

— Fique parado, Jamie. Isso vai acabar mais rápido do que você pensa.

As bochechas dela estavam vermelhas e os olhos estavam brilhando. Tinha um filete de sangue escorrendo por uma das narinas, que ela limpou. Ela saiu e foi até o interfone, mas as janelas do carro estavam fechadas e eu não ouvi o que ela disse. Ela foi até a guarita e desta vez eu a ouvi, porque ela elevou a voz.

— Teddy? Está aí? É sua amiga Liz. Queria prestar minhas homenagens, mas preciso saber onde!

Não houve resposta e ninguém saiu. Liz foi até o outro lado do portão. Pegou um pedaço de papel no bolso de trás, consultou-o e digitou uns números no teclado numérico. O portão se abriu lentamente. Ela voltou para o carro, sorrindo.

— Parece que a casa é toda nossa, Jamie.

Ela entrou. O caminho era de asfalto, liso como vidro. Tinha outra curva em S e Liz dirigiu por ela, com tochas elétricas acesas dos dois lados do trajeto. Depois, descobri que esse tipo de iluminação se chama archote. Ou talvez isso seja só para aquelas tochas que as multidões usam quando invadem o castelo nos filmes velhos de *Frankenstein*.

— Bonito — falei.

— É, mas olha aquela porra, Jamie!

Do outro lado do S, a casa de Marsden apareceu. Parecia uma daquelas mansões de Hollywood Hills que a gente vê no cinema: grande e empoleirada perto de um precipício. O lado virado para nós era todo de vidro. Imaginei Marsden tomando o café de manhã, vendo o sol nascer. Devia dar para ver até Poughkeepsie, talvez mais longe. Por outro lado... vista de Poughkeepsie? Não é de causar tanta inveja.

— A casa que a heroína construiu. — Liz falou com crueldade. — Com tudo que tem direito, e um Mercedes e um Porsche Boxster na garagem. As coisas que me fizeram perder o emprego.

Pensei em dizer *você teve escolha*, que é o que minha mãe sempre me dizia quando eu fazia besteira, mas fiquei de boca calada. Ela estava tão pronta para explodir quanto as bombas do Thumper, e eu não queria provocar essa explosão.

Houve mais uma curva até chegarmos ao pátio pavimentado na frente da casa. Liz dirigiu por ela, e vi um homem parado na porta da garagem dupla onde os carros chiques do Marsden estavam (não tinham levado Donnie Grandão para o necrotério no Porsche, claro). Abri a boca para dizer que devia ser Teddy, do portão, pois o cara era tão magro que não podia ser Marsden, mas vi que a boca dele tinha sumido.

— O Boxster está lá dentro? — perguntei, na esperança de a minha voz estar mais ou menos normal. Apontei para a garagem e para o homem parado na frente.

Ela deu uma olhada.

— Está, mas, se você queria dar uma volta ou mesmo uma olhada, você vai se decepcionar. Nós temos que cuidar das nossas coisas.

Ela não o viu. Só eu vi. E, considerando o buraco onde antes ficava a boca, ele não tinha tido uma morte natural.

Como eu falei, essa história é de terror.

60

Liz desligou o motor e saiu. Ela me viu ainda sentado no banco do passageiro, os pés no meio de várias embalagens de comida, e me sacudiu.

— Vem, Jamie. Está na hora de você fazer o seu trabalho. Depois, você está livre.

Eu saí e a segui até a porta de entrada. No caminho, lancei outro olhar para o homem na frente da garagem dupla. Ele devia saber que eu o estava vendo porque levantou a mão. Verifiquei se Liz não estava olhando e levantei a minha em resposta.

Degraus de ardósia levavam a uma porta alta de madeira com aldrava de cabeça de leão. Liz nem bateu, só pegou o pedaço de papel do bolso e digitou mais números em um teclado numérico. A luz vermelha ficou verde e houve um estalo quando a porta foi destrancada.

Marsden tinha dado os números para uma mera transportadora? Eu não achava possível, e também não achava que a pessoa que contou para ela sobre os comprimidos saberia as senhas. Eu não gostava do fato de ela ter aquela informação, e, pela primeira vez, pensei em Therriault... ou na coisa que habitava agora o que restava dele. Eu tinha superado aquela coisa no Ritual de Chüd e talvez ela viesse se eu chamasse, sempre supondo que teria que honrar o acordo que fizemos. Mas isso ainda não tinha sido provado. Eu só faria isso como último recurso, porque morria de medo daquela criatura.

— Pode entrar.

Liz colocou o pedaço de papel no bolso de trás, e a mão que antes o estava segurando foi para o bolso do casacão. Dei mais uma olhada no homem, que eu supunha que era Teddy, parado na frente da garagem. Olhei para o buraco ensanguentado onde antes ficava sua boca e pensei nas manchas no suéter da Liz. Talvez tivessem sido feitas quando ela limpou o nariz.

Talvez não.

— Eu mandei entrar. — Não foi um convite.

Eu abri a porta. Não havia saguão nem hall de entrada, só uma sala enorme. No meio havia uma área mais baixa com sofás e cadeiras. Depois, descobri que esse tipo de coisa se chama sala de estar rebaixada. Havia mais móveis com jeito de caros em volta (talvez para que outras pessoas pudessem ser espectadoras das conversas acontecendo abaixo), um bar que parecia ser sobre rodas e coisas nas paredes. Digo *coisas* porque não me pareceu arte, só manchas e rabiscos, mas as manchas estavam emolduradas, então acho que era arte para Marsden. Havia um candelabro sobre a sala de estar rebaixada que parecia pesar pelo menos duzentos e cinquenta quilos, e eu que não ia querer sentar embaixo. Depois da sala rebaixada, do outro lado da sala grande, havia uma escadaria dupla enorme. A única remotamente parecida que eu tinha visto na vida real e não nos filmes e na televisão era da Apple Store na Quinta Avenida.

— Um lugar e tanto, né? — disse Liz.

Ela fechou a porta, *TUM*, e bateu com a base da mão nos interruptores ao lado. Mais archotes se acenderam, junto com o candelabro. Era uma coisa linda e emitia uma luz linda, mas eu não estava com humor para apreciar nada. Eu estava ficando mais e mais seguro de que a Liz já tinha estado ali e que tinha atirado no Teddy antes de ir me buscar.

Ela não vai precisar atirar em mim se não souber que eu o vi, falei para mim mesmo, e, embora isso fizesse certo sentido, eu sabia que não podia confiar na lógica para me guiar naquela situação. Ela estava completamente chapada, praticamente vibrando. Pensei de novo nas bombas do Thumper.

— Você não me perguntou — falei.

— Não perguntei o quê?

— Se ele está aqui.

— Bom, está? — Ela não perguntou com preocupação real na voz, mais como protocolo. O que estava acontecendo?

— Não.

Ela não pareceu chateada, como ficou quando estávamos caçando Therriault.

— Vamos olhar o segundo andar. Talvez ele esteja no quarto principal, relembrando os momentos felizes que passou lá comendo as putas dele. Foram muitas depois que a Madeline foi embora. Provavelmente antes também.

— Eu não quero ir lá em cima.

— Por que não? A casa não é *assombrada*, Jamie.

— É, se ele estiver lá em cima.

Ela pensou nisso e riu. A mão ainda estava no bolso do casaco.

— Você até tem razão, mas, como é ele que estamos procurando, sobe. *Ándale, ándale.*

Indiquei o corredor que levava para longe do lado direito da sala.

— Pode ser que ele esteja na cozinha.

— Preparando um lanchinho? Acho que não. Acho que ele está lá em cima. Vai.

Pensei em discutir mais um pouco ou simplesmente recusar, mas aí a mão dela podia sair do bolso do casaco, e eu tinha uma boa ideia do que ela estaria segurando. Por isso, comecei a subir a escada pela direita. O corrimão era de vidro verde fosco, liso e frio. Os degraus eram feitos de pedra verde. Havia quarenta e sete degraus no total, eu contei, e cada um devia valer o preço de um Kia.

Na parede no alto daquela escada havia um espelho com moldura dourada que devia ter dois metros de altura. Tinha um idêntico do outro lado. Eu me vi aparecer no espelho com Liz logo atrás de mim, olhando por cima do meu ombro.

— Seu nariz — falei.

— Estou vendo. — As duas narinas dela estavam sangrando agora. Ela limpou o nariz e secou a mão no suéter. — É o estresse. O estresse faz isso acontecer porque todos os capilares aqui dentro estão frágeis. Quando encontrarmos Marsden e ele nos contar onde estão os comprimidos, o estresse vai passar.

Sangrou quando você atirou no Teddy?, me perguntei. *O quanto foi estressante fazer isso, Liz?*

O corredor no alto era uma sacada circular, na verdade, quase uma passarela com amurada na altura da cintura. Olhar por ela provocou uma sensação ruim no meu estômago. Se alguém caísse (ou fosse empurrado), essa pessoa ia fazer um trajeto curto até o meio da sala rebaixada, onde o tapete colorido não ajudaria a aliviar o impacto do piso de pedra embaixo.

— Pra esquerda, Jamie.

O que queria dizer longe da sacada, e isso era bom. Nós seguimos por um corredor comprido com portas só do lado esquerdo, para que quem estivesse naqueles quartos pudesse apreciar a vista. A única porta que estava aberta era na metade. Era uma biblioteca circular, com todas as prateleiras lotadas de livros. Minha mãe teria desmaiado de empolgação. Havia poltronas e um sofá na frente da única parede sem livros. Essa parede era uma janela, claro, com vidro curvo com vista para uma paisagem que agora estava ficando roxa com o anoitecer. Deu para ver o ninho de luz que devia ser a cidade de Renfield, e eu teria dado quase qualquer coisa para estar lá.

Liz também não perguntou se Marsden estava na biblioteca. Nem olhou para dentro. Chegamos ao fim do corredor e ela usou a mão que não estava no bolso do casaco para apontar para a última porta.

— Tenho quase certeza de que ele está aí dentro. Abre.

Eu abri e, realmente, Donald Marsden estava lá dentro, deitado em uma cama tão grande que parecia uma cama tripla ou quádrupla e não de casal. Ele mesmo tinha tamanho quádruplo, Liz estava certa sobre isso. Aos meus olhos de criança, o volume do corpo dele era quase uma alucinação. Um bom terno poderia ter disfarçado boa parte da gordura, mas ele não estava de terno. Ele estava usando uma cueca boxer gigantesca e mais nada. A pança imensa, os peitos enormes e os braços flácidos estavam todos marcados com cortes rasos. O rosto de lua cheia estava machucado e um dos olhos estava fechado. Havia uma coisa estranha enfiada na boca que depois aprendi (em um daqueles sites que você não quer que sua mãe descubra) que era uma bola usada como mordaça, chamada *ball gag*. Os pulsos dele tinham sido presos com algemas na cabeceira da cama. Liz devia ter levado só duas algemas, porque os tornozelos tinham sido presos com fita adesiva nas colunas aos pés da cama. Ela devia ter usado um rolo inteiro em cada um.

— Eis o homem da casa — disse Liz.

O olho bom dele piscou. Você diria que eu devia ter percebido pelas algemas e pela fita adesiva. Eu devia ter sabido porque alguns dos cortes ainda estavam sangrando. Mas eu não soube. Eu fiquei chocado e não soube. Só quando ele deu aquela única piscadela.

— Ele está vivo!

— Eu posso resolver isso — disse Liz. Ela tirou a arma do bolso do casaco e deu um tiro na cabeça dele.

61

Voou sangue e cérebro na parede atrás dele. Eu gritei e saí correndo do quarto, desci a escada, saí pela porta, passei pelo Teddy e desci a colina. Eu corri até Renfield. Isso tudo só em um segundo. Mas aí, Liz passou os braços em volta de mim.

— Calma, moleque. Calma...

Dei um soco no estômago dela e a ouvi soltar o ar, surpresa. De repente, fui virado e meu braço foi torcido nas minhas costas. Doeu pra caralho e eu gritei ainda mais. Meus pés subitamente pararam de me sustentar. Ela me fez cair de joelhos e eu gritei como louco com o braço torcido tão alto que meu pulso estava tocando a omoplata.

— Cala a boca! — A voz dela, um pouco mais do que um rosnado, soou no meu ouvido. Aquela era a mulher que já tinha brincado de carrinhos Matchbox comigo, nós dois de joelhos enquanto minha mãe preparava molho de espaguete na cozinha, ouvindo músicas antigas na rádio Pandora. — Para com essa gritaria e eu te solto!

Eu parei e ela me soltou. Agora, eu estava de quatro, olhando para o tapete, tremendo muito.

— De pé, Jamie.

Eu consegui ficar de pé, mas olhando para o tapete. Eu não queria olhar para o homem gordo sem a parte de cima da cabeça.

— Ele está aqui?

Olhei para o tapete e não disse nada. Meu cabelo estava caindo nos olhos. Meu ombro estava latejando.

— *Ele está aqui?* Olha em volta!

Eu levantei a cabeça e ouvi meu pescoço estalar. Em vez de olhar diretamente para Marsden, apesar de ainda conseguir vê-lo, pois ele era muito grande para não ser percebido, eu olhei para a mesinha ao lado da cama. Havia um amontoado de frascos de comprimidos ali. Havia também um sanduíche grande e uma garrafa de água mineral.

— *Ele está aqui?* — Ela bateu na parte de trás da minha cabeça.

Eu olhei em volta. Não havia ninguém além de nós e do cadáver do homem gordo. Agora, eu já tinha visto dois homens que levaram tiros na cabeça. Therriault foi ruim, mas pelo menos eu não precisei vê-lo morrer.

— Ninguém — falei.

— Por quê? Por que ele não está aqui? — Ela pareceu desesperada. Eu não consegui pensar direito na hora, estava apavorado pra cacete. Só depois, repassando os infinitos cinco minutos no quarto de Marsden, foi que percebi que ela estava duvidando de tudo. Apesar de Regis Thomas e do livro dele, apesar da bomba no supermercado, ela estava com medo de eu não conseguir ver gente morta nenhuma e de ela ter matado a única pessoa que sabia onde os comprimidos estavam escondidos.

— Sei lá. Eu nunca estive no lugar onde uma pessoa morreu. Pode ser... pode ser que demore um tempo. Não sei, Liz.

— Tudo bem. Vamos esperar.

— Não aqui, tá? Por favor, Liz, não quero ter que ficar olhando pra ele.

— No corredor, então. Se eu te soltar, você vai ser bonzinho?

— Vou.

— Não vai tentar fugir?

— Não.

— É melhor não mesmo, eu ia detestar ter que atirar no seu pé ou na sua perna. Seria o fim da sua carreira no tênis. Agora, sai.

Eu saí e ela saiu comigo, para poder me bloquear se eu tentasse sair correndo. Quando estávamos no corredor, ela me mandou olhar em volta de novo. Eu olhei. Marsden não estava lá e eu falei isso.

— Droga. — E depois: — Você viu o sanduíche, né?

Eu assenti. Um sanduíche e uma garrafa de água para um homem preso à cama gigantesca. Preso pelas mãos e pelos pés.

— Ele amava comida — disse Liz. — Eu comi com ele em um restaurante uma vez. Ele devia usar uma pá em vez de garfo e colher. Que porco.

— Por que você deixou um sanduíche que ele não ia poder comer?

— Eu queria que ele olhasse. Só olhasse. O dia todo, enquanto eu ia te buscar e te trazer. E, pode acreditar, um tiro na cabeça era o que ele merecia. Você tem ideia de quanta gente ele matou com o... veneno feliz dele?

Quem o ajudou?, pensei, mas claro que não falei.

— Quanto tempo você acha que ele teria vivido? Mais dois anos? Cinco? Eu entrei no banheiro dele, Jamie. O vaso sanitário tem o dobro do tamanho dos normais! — Ela fez um som que era algo entre uma gargalhada e um ronco de repulsa. — Bom, vamos até a sacada. Vamos ver se ele está no salão. Devagar.

Eu não teria conseguido ir rápido nem se quisesse, porque minhas coxas estavam tremendo e meus joelhos pareciam geleia.

— Sabe como eu consegui o código do portão? Com o entregador da UPS. O cara é tão viciado em cocaína que eu poderia ter dormido com a esposa dele se quisesse e ele ficaria feliz de dá-la se eu continuasse fornecendo pra ele. O código da casa eu consegui com o Teddy.

— Antes de matar ele.

— O que mais eu poderia ter feito? — Como se eu fosse o garoto mais burro da turma. — Ele podia me identificar.

Eu também posso, e isso me levou de volta à coisa que esse rapaz, eu, podia assobiar para chamar. Eu teria que fazer isso, mas continuava não querendo. Porque poderia não dar certo? É, mas não só por isso. Se você esfrega uma lâmpada mágica e vem um gênio, que bom para você. Mas se você a esfrega e conjura um demônio, uma luz morta, talvez Deus soubesse o que aconteceria, mas eu não.

Nós chegamos à sacada com a amurada baixa e a queda grande. Eu espiei.

— Ele está lá embaixo?

— Não.

A arma cutucou minha lombar.

— Você está mentindo?

— Não!

Ela soltou um suspiro fundo.

— Não é pra ser assim.

— Eu não sei como é pra ser, Liz. Até onde eu sei, ele poderia estar lá fora conversando com o T... — Eu parei.

Ela segurou meu ombro e me virou. O lábio superior dela estava todo coberto de sangue agora, o estresse devia estar sendo alto, mas ela estava sorrindo.

— Você viu Teddy?

Eu baixei o olhar. E isso foi resposta suficiente.

— Seu espertalhão. — Ela riu. — Nós vamos lá fora dar uma olhada se Marsden não aparece por lá, mas, por enquanto, vamos esperar um pouco. A gente pode esperar. A vadia da vez está visitando os parentes na Jamaica ou em Barbados ou algum outro lugar com palmeiras e ele não recebe visitas durante a semana, faz todos os negócios por telefone atualmente. Ele estava deitado ali quando eu entrei, vendo aquele programa de tribunal do *John Law* na televisão. Meu Deus, eu queria que ele estivesse pelo menos de pijama, sabe?

Eu não falei nada.

— Ele me disse que não tinha comprimidos, mas vi no rosto dele que ele estava mentindo, por isso eu o detive e cortei um pouco. Achei que ia soltar a língua dele, mas sabe o que ele fez? Ele *riu* de mim. Disse que sim, tinha mesmo Oxy, um monte, mas que ele nunca me contaria onde estava. "Por que eu contaria?", disse ele. "Você vai me matar mesmo." Foi aí que a ficha caiu. Eu não acreditei que não tinha pensado nisso antes. *Muy stupido.* — Ela bateu na lateral da cabeça com a mão segurando a arma.

— Eu. Eu fui a ficha que caiu.

— Isso mesmo. Então, eu deixei um sanduíche e uma garrafa de água pra ele admirar e fui pra Nova York te buscar, e nós voltamos e ninguém apareceu aqui. E aqui estamos, *então onde ele está, porra?*

— Ali — falei.

— O quê? *Onde?*

Eu apontei. Ela se virou e claro que não viu nada, mas eu conseguia ver por nós dois. Donald Marsden, também conhecido como Donnie Grandão, estava parado na porta da biblioteca circular. Ele só estava de cueca boxer e a parte de cima da cabeça estava praticamente destruída e os ombros estavam encharcados de sangue, mas ele estava me olhando com o olho que Liz não havia fechado com um soco em um momento de fúria e frustração.

Levantei a mão hesitante para ele. Ele levantou a dele em resposta.

62

— Pergunta pra ele! — Ela estava apertando meu ombro e respirando na minha cara. Nenhuma das duas coisas foi agradável, mas o hálito dela foi pior.

— Me solta e eu pergunto.

Andei lentamente na direção de Marsden. Liz veio logo atrás. Eu a sentia *no meu cangote*.

Parei a um metro e meio.

— Onde estão os comprimidos?

Ele respondeu sem hesitar, falando como todos falavam, com exceção de Therriault, claro, como se não importasse. E por que importaria? Ele não precisava mais dos comprimidos, não onde estava e não no lugar para onde estava indo. Supondo que fosse para algum lugar.

— Alguns estão na mesa de cabeceira ao lado da minha cama, mas a maioria no armário de remédios. Topamax, Marinox, Inderal, Pepcid, Flomax... — E mais alguns. Citando como se fosse uma lista de compras.

— O que ele...

— Fica quieta — falei. Naquele momento, quem estava no comando era eu, embora eu soubesse que não duraria muito. Eu ficaria no comando se chamasse a coisa hospedada no Therriault? Isso eu não sabia. — Eu fiz a pergunta errada.

Eu me virei para olhar para ela.

— Posso fazer a certa, mas primeiro você tem que me prometer que vai me deixar ir embora depois que conseguir o que veio buscar.

— Claro que vou, Jamie — disse ela, e eu soube que ela estava mentindo.

Não sei bem *como* eu soube, não havia nada de lógico naquilo, mas não foi pura intuição. Acho que teve a ver com o jeito como os olhos dela se desviaram dos meus quando ela usou meu nome.

Eu soube nessa hora que teria que assobiar.

Donald Marsden ainda estava parado perto da porta da biblioteca. Eu me perguntei brevemente se ele realmente leu os livros que estavam lá ou se eram só exibição.

— Ela não quer seus remédios de uso pessoal, quer o Oxy. Onde está?

O que aconteceu em seguida só tinha acontecido uma vez antes. Quando perguntei a Therriault onde ele tinha colocado a última bomba. As palavras de Marsden pararam de acompanhar os movimentos da boca, como se ele estivesse lutando contra o imperativo de responder.

— Não quero contar pra você.

Exatamente o que Therriault disse.

— Jamie! O que...

— Já falei pra ficar quieta! Me dá um tempo! — E, para ele: — Onde está o Oxy?

Quando pressionado, Therriault pareceu estar sentindo dor, e acho (não sei, mas *acho*) que foi nessa hora que a coisa luz morta entrou. Marsden não pareceu estar com dor física, mas algo de emocional estava acontecendo, apesar de ele estar morto. Ele colocou as mãos no rosto como uma criança que fez uma coisa errada e disse:

— Quarto do pânico.

— O que você quer dizer? O que é um quarto do pânico?

— É um lugar pra ir em caso de invasão. — A emoção sumiu tão rápido quanto surgiu. Marsden tinha voltado à cadência de quem lê uma lista de compras. — Eu tenho inimigos. Ela era uma. Eu só não sabia.

— Pergunta onde fica! — disse Liz.

Eu tinha quase certeza de que sabia a resposta, mas perguntei mesmo assim. Ele apontou para a biblioteca.

— É um quarto secreto — falei, mas como não falei em inflexão de pergunta ele não respondeu. — É um quarto secreto?

— É.

— Me mostra.

Ele entrou na biblioteca, que agora estava nas sombras. As pessoas mortas não são exatamente fantasmas, mas, quando ele entrou na escuridão, ficou parecendo um. Liz teve que tatear para procurar o interruptor que acendeu a lâmpada do teto e mais archotes, o que me deu a entender que ela nunca tinha passado nenhum momento lá dentro, apesar de ser uma pessoa que lia. Quantas vezes ela tinha ido naquela casa? Talvez uma ou duas, talvez nunca. Talvez ela só a conhecesse de fotos e de perguntas muito cuidadosas para as pessoas que tinham estado lá.

Marsden apontou para uma prateleira de livros. Como Liz não conseguia vê-lo, eu imitei o gesto dele e falei:

— Aquela ali.

Ela foi até lá e puxou. Eu poderia ter fugido nessa hora, só que ela me puxou junto. Ela estava drogada e vibrando de empolgação, mas ainda tinha alguns dos seus instintos de policial. Ela puxou várias prateleiras com a mão livre, mas não aconteceu nada. Ela falou um palavrão e se virou para mim.

Para adiar outro sacolejo e outro braço torcido, eu fiz a pergunta óbvia para Marsden:

— Tem uma trava que abre?

— Tem.

— O que ele disse, Jamie? Porra, o que ele disse?

Além de estar apavorante pra caralho, ela estava me enlouquecendo com as perguntas. Ela tinha se esquecido de limpar o nariz e agora havia sangue fresco escorrendo pelo lábio superior, fazendo-a parecer um dos vampiros do Bram Stoker. E, na minha opinião, ela meio que era um mesmo.

— Me dá um tempo, Liz. — E, para Marsden: — Onde fica a trava?

— Na prateleira do alto, à direita.

Falei para Liz. Ela ficou na ponta dos pés, mexeu um pouco a mão e houve um clique. Desta vez, quando ela puxou, a estante se moveu em dobradiças escondidas e revelou uma porta de aço, outro teclado numérico e outra luzinha vermelha acima dos números. Liz não precisou me dizer o que perguntar em seguida.

— Qual é o código?

Novamente, ele levantou as mãos e cobriu os olhos, aquele gesto infantil que dizia *Se eu não te vejo, você não me vê*. Era um gesto triste, mas eu não podia me permitir afetar por ele, e não só porque ele era um barão das drogas cujo produto tinha matado centenas, talvez até milhares de pessoas, e viciado outros milhares. Eu já tinha muitos problemas.

— Qual... é... o... código? — falei enunciando cada palavra, como fiz com Therriault. Aquela situação era diferente, mas também era igual.

Ele contou. Teve que contar.

— É 73612 — falei.

Ela digitou os números ainda segurando meu braço. Eu quase esperei uma batida e um chiado, como uma câmara de ar se abrindo em um filme de ficção científica, mas a única coisa que aconteceu foi que a luz vermelha ficou verde. Não havia maçaneta nem fechadura, então Liz empurrou a porta, que se abriu. O aposento lá dentro estava tão preto quando o cu de um gato preto.

— Pergunta onde fica o interruptor.

Eu perguntei, e Marsden respondeu:

— Não tem.

Ele tinha baixado as mãos de novo. A voz estava começando a ficar mais baixa. Naquela hora, achei que ele estivesse indo rápido porque tinha sido assassinado em vez de morrer de causas naturais ou de sofrer um acidente. Depois, mudei de ideia. Acho que ele queria estar longe antes de descobrirmos o que tinha lá dentro.

— Tenta só entrar — falei.

Ela deu um passo hesitante no escuro, sem nunca me soltar, e ouvi luzes fluorescentes se acenderem. O quarto era austero. No lado mais distante havia um refrigerador (a voz do prof. Burkett surgiu na minha cabeça), uma chapa elétrica e um micro-ondas. À esquerda e à direita havia prateleiras com pilhas de comida enlatada barata, coisas como apresuntado Spam e ensopado Dinty Moore e sardinha King Oscar. Também havia sacos com mais comida (depois eu descobri que era o que o exército chama de ração operacional) e caixas de água e cerveja. Havia um telefungo fixo em uma das prateleiras mais baixas. No meio da sala havia uma mesa de madeira simples. Havia um computador em cima, uma impressora, uma pasta grossa e uma nécessaire fechada.

— Onde está o Oxy?

Eu perguntei.

— Ele disse que está no estojo, não sei que estojo.

Ela pegou a nécessaire, abriu e virou. Caíram alguns frascos de comprimidos, junto com dois ou três pacotinhos enrolados em filme de PVC. Não exatamente um baú do tesouro. Ela gritou:

— Que porra é *essa*?

Eu nem ouvi. Eu tinha aberto a pasta ao lado do computador pelo simples fato de que estava lá e estava em choque. Primeiro, foi como se eu nem soubesse o que estava vendo, mas claro que eu sabia. E eu soube por que Marsden não queria que nós entrássemos ali e porque ele podia sentir vergonha apesar de estar morto. Não tinha nada a ver com drogas. Eu me perguntei se a mulher para quem eu estava olhando estava com a mesma mordaça de *ball gag* na boca. Seria justiça poética se fosse.

— Liz — falei. Meus lábios pareciam entorpecidos, como se eu tivesse levado uma anestesia de dentista.

— Isso é tudo? — ela estava gritando. — Não *ouse* me dizer que isso é tudo, porra! — Ela abriu um dos frascos e virou o que tinha dentro. Tinha uns vinte e quatro comprimidos. — Isso nem é Oxy, isso é *Darvon*!

Ela tinha me soltado e eu podia ter fugido nesse momento, mas nem pensei nisso. Até o pensamento em assobiar para chamar Therriault tinha sumido da minha mente.

— Liz — falei de novo.

Ela não prestou atenção. Ela estava abrindo frascos, um depois do outro. Eram tipos diferentes de comprimidos, mas não havia muitos em cada frasco. Ela estava olhando para alguns dos azuis.

— É Roxy, maravilha, mas aqui não tem nem uma *dúzia*! Pergunta onde está o resto!

— Liz, olha isso. — Era minha voz, mas parecia estar vindo de longe.

— Eu falei pergunta… — Ela se virou e parou, vendo o que eu estava olhando.

Era uma fotografia brilhosa no alto de uma pilha pequena de outras fotografias brilhosas. Havia três pessoas nela: dois homens e uma mulher. Um dos homens era Marsden. Ele não estava usando nem uma cueca boxer. O outro homem também estava nu. Eles estavam fazendo coisas com a mulher com a mordaça na boca. Não quero falar o quê, só que Marsden estava com um pequeno maçarico e que o outro homem estava com um daqueles garfos de carne com dois dentes.

— Merda — sussurrou ela. — Ah, *merda*. — Ela mexeu em outras. Eram indescritíveis. Ela fechou a pasta. — É ela.

— Quem?

— Maddie. A esposa dele. Parece que, no fim das contas, ela não fugiu.

Marsden ainda estava do lado de fora, na biblioteca, mas olhando para longe de nós. A parte de trás da cabeça dele estava destruída, como a lateral da cabeça de Therriault, mas eu nem reparei direito. Havia coisas piores que ferimentos de bala, uma coisinha que aprendi naquela noite.

— Eles torturaram ela até a morte — falei.

— Sim, e se divertiram fazendo isso. Olha esses sorrisos. Você ainda lamenta que eu tenha matado ele?

— Você não matou ele pelo que ele fez com a esposa. Você nem sabia disso. Você matou ele por causa das drogas.

Ela deu de ombros como se não importasse, e para ela provavelmente não importava mesmo. Ela olhou para o quarto do pânico, para onde ele ia para olhar aquelas fotos horríveis, e pela biblioteca até o corredor do andar de cima.

— Ele ainda está lá?

— Está. Na porta.

— Primeiro ele disse que não tinha comprimidos, mas eu sabia que ele estava mentindo. Depois, ele disse que eram muitos. *Muitos!*

— Talvez ele estivesse mentindo quando falou isso. Ele podia mentir, não estava morto ainda.

— Mas ele disse pra você que estavam no quarto do pânico! Ele já estava morto nessa hora.

— Ele não disse quantos. — Eu perguntei a Marsden: — Isso aqui é tudo que você tem?

— É tudo — disse ele. A voz dele estava começando a sumir.

— Você disse pra ela que tinha muito!

Ele balançou os ombros ensanguentados.

— Enquanto ela acreditasse que eu tinha o que ela queria, achei que fosse me manter vivo.

— Mas a dica que ela ouviu sobre você receber um carregamento particular enorme...

— Era mentira. Tem muita mentira nesse ramo. As pessoas dizem todo tipo de merda só pra se ouvirem falar.

Liz balançou a cabeça quando contei o que ele tinha dito, sem acreditar. Não *querendo* acreditar porque, se acreditasse, significava que era o fim dos planos dela para a Costa Oeste. Significava que ela tinha sido enganada.

— Ele está escondendo alguma coisa — insistiu ela. — De alguma forma. Em algum lugar. Pergunta de novo onde está o resto.

Eu abri a boca para dizer que, se houvesse mais, ele já teria contado. Mas então, talvez por causa das fotos horríveis que tinham despertado a parte de mim que estava entorpecida, eu tive uma ideia. Talvez eu pudesse dar um golpe nela, porque ela estava prontinha para ser enganada. Se desse certo, eu talvez conseguisse fugir dela sem precisar assobiar para chamar um demônio.

Ela segurou os meus ombros e me sacudiu.

— Eu falei pra perguntar pra ele!

Eu perguntei.

— Onde está o resto das drogas, sr. Marsden?

— Eu já falei, só tem isso. — A voz dele estava cada vez mais baixa. — Eu guardo alguns pra Maria, mas ela está nas Bahamas. Em Bimini.

— Ah, entendi. Agora sim. — Apontei para as prateleiras de comidas enlatadas. — Está vendo as latas de espaguete na prateleira de cima? — Não tinha como ela não ver, eram pelo menos trinta. Donnie Grandão devia amar espaguete enlatado Franco-American. — Ele disse que escondeu umas dentro. Mas não Oxy, outra coisa.

Ela podia me arrastar junto, mas achei que havia uma boa chance de ficar ansiosa demais, e acertei. Ela correu até a prateleira de comida enlatada. Esperei até ela estar nas pontas dos pés, com as mãos esticadas para o alto. Eu saí correndo do quarto do pânico e pela biblioteca. Eu queria ter me lembrado de fechar a porta, mas não lembrei. Marsden estava parado ali parecendo bem sólido, mas passei direto por ele. Houve um momento de frio gelado e minha boca ficou cheia de um gosto oleoso que acho que era de pepperoni. E logo eu estava correndo para a escada.

Houve um barulho de latas caindo atrás de mim.

— Volta aqui, Jamie! Volta!

Ela foi atrás de mim. Eu ouvi. Fui para o lugar onde a escada descia e olhei para trás. Isso foi um erro. Eu tropecei. Estando sem opções, eu repuxei os lábios para assobiar, mas só consegui soltar um sopro de ar. Minha boca e meus lábios estavam secos demais. Então, eu gritei.

— *THERRIAULT!*

Comecei a descer a escada rastejando com a cabeça para baixo e o cabelo nos olhos, mas ela segurou meu tornozelo.

— THERRIAULT, ME AJUDA! TIRA ELA DE CIMA DE MIM!

De repente, tudo (não só a sacada, não só a escada, mas todo o espaço acima do salão e da sala de estar rebaixada) se encheu de luz branca. Eu estava olhando para Liz quando aconteceu, e apertei os olhos por causa do brilho, praticamente cego. Estava vindo daquele espelho alto, e tinha mais saindo do espelho do outro lado da sacada.

Liz afrouxou o aperto, e segurei um dos degraus e puxei com o máximo de força que consegui. Eu desci de barriga, como uma criança no tobogã mais cheio de calombos do mundo. Parei a um quarto do caminho até o fim. Atrás de mim, Liz estava berrando. Olhei entre meu braço e a lateral do meu corpo, por causa da minha posição vendo-a de cabeça para baixo. Ela estava parada na frente do espelho. Não sei exatamente o que ela viu e que bom que não sei, porque eu talvez nunca mais conseguisse dormir. A luz foi suficiente, aquela luz brilhante sem cor que saiu do espelho como uma explosão solar.

A luz morta.

De repente, eu vi, ou *acho* que vi, uma mão sair do espelho e agarrar Liz pelo pescoço. Puxou-a contra o espelho, e ouvi-o rachar. Ela continuou gritando.

Todas as luzes se apagaram.

Ainda não tinha anoitecido completamente, então não estava tão escuro na casa, mas estava quase. O aposento abaixo de mim era um poço de sombras. Atrás de mim, no alto da escadaria curva, Liz berrava e berrava. Usei o corrimão de vidro liso para me levantar e consegui cambalear pela sala sem cair.

Atrás de mim, Liz parou de berrar e começou a rir. Eu me virei e a vi correndo escada abaixo, só uma forma escura rindo como o Coringa em um desenho do Batman. Ela estava indo rápido demais, sem olhar para *onde* estava correndo. Ela oscilou de um lado para o outro, batendo nos corrimões, olhando para trás, para o espelho onde a luz agora estava diminuindo, como o filamento de uma lâmpada antiga quando você a apagava.

— Liz, cuidado!

Eu gritei isso, apesar de a única coisa que queria no mundo era ir para longe dela. O aviso foi puro instinto e não adiantou nada. Ela perdeu o equilíbrio, caiu para a frente, bateu na escada, rolou, bateu na escada de novo, deu outra cambalhota e escorregou até o pé. Continuou rindo na primeira vez que bateu no chão, mas parou na segunda vez. Como se ela fosse um rádio e alguém a tivesse desligado. Ela ficou caída de cara para cima no pé da escada com a cabeça inclinada, o nariz torto para o lado, um braço atrás do pescoço e os olhos encarando a escuridão.

— Liz?

Nada.

— Liz, você está bem?

Que pergunta idiota, e por que eu me importava? Isso eu posso responder. Eu queria que ela estivesse viva porque tinha uma coisa atrás de mim. Eu não ouvi, mas sabia que estava lá.

Eu me ajoelhei ao lado dela e botei a mão na frente da boca ensanguentada. Não houve respiração na minha palma. Os olhos dela não piscaram. Ela estava morta. Eu me levantei, me virei e vi exatamente o que esperava: Liz parada ali, com o casaco aberto e o suéter manchado de sangue. Ela não estava olhando para mim. Estava olhando por cima do meu ombro. Ela levantou uma das mãos e apontou, me lembrando mesmo naquele momento horrível do Fantasma do Natal Por Vir apontando para a tumba do Scrooge.

Kenneth Therriault, o que restava dele, pelo menos, estava descendo a escada.

63

Ele parecia um tronco queimado com fogo ainda dentro. Não sei dizer de outra forma. Ele tinha ficado preto, mas a pele estava rachada em vários lugares e aquela luz morta brilhante brilhava pelas rachaduras. Estava saindo pelo nariz, pelos olhos, até pelas orelhas. Quando ele abriu a boca, saiu por lá também.

Ele sorriu e levantou os braços.

— Vamos tentar o ritual de novo e ver quem ganha desta vez. Acho que você me deve isso, já que te salvei dela.

Ele desceu a escada correndo na minha direção, pronto para a grande cena de reencontro. Os instintos me mandavam me virar e sair correndo, mas algo mais profundo me disse para me manter firme por mais que eu quisesse fugir daquele horror. Se eu fugisse, ele me agarraria por trás, passaria os braços queimados em volta de mim e esse seria o fim. A coisa venceria e eu me tornaria escravo dele, obrigado a ir quando ela chamasse. Aquela criatura me possuiria vivo como tinha possuído Therriault morto, o que seria pior.

— Para — falei, e a casca preta que era Therriault parou no pé da escada. Aqueles braços esticados estavam a menos de trinta centímetros de mim.

— Vai embora. Minha história com você acabou. Pra sempre.

— Sua história comigo nunca vai acabar. — E ele disse mais uma palavra, que fez minha pele ficar com carocinhos de arrepio e o cabelo da minha nuca ficar em pé. — *Campeão.*

— Espera pra ver — falei. Palavras corajosas, mas não consegui afastar o tremor da minha voz.

Os braços ainda estavam esticados, as mãos pretas com as rachaduras brilhantes a centímetros do meu pescoço.

— Se você quiser mesmo se livrar de mim de vez, segura. Vamos fazer o ritual de novo, e vai ser mais justo, porque desta vez estou pronto pra você.

Fiquei estranhamente tentado, não me pergunte por quê, mas uma parte de mim que ia além do ego e mais profunda que os instintos prevaleceu. É possível vencer o diabo uma vez (por providência, coragem, pura sorte ou uma combinação disso tudo), mas não duas vezes. Acho que ninguém além dos santos vencem o diabo duas vezes, e talvez nem eles.

— Vai. — Foi minha vez de apontar como o último fantasma do Scrooge. Eu apontei para a porta.

A coisa repuxou o lábio queimado e preto de Therriault em uma expressão de desprezo.

— Você não pode me mandar embora, Jamie. Você não entendeu ainda? Estamos unidos. Você não pensou nas consequências. Mas aqui estamos.

Eu repeti minha única palavra. Foi a única coisa que consegui fazer passar por uma garganta que de repente pareceu ter a largura de um alfinete.

O corpo de Therriault pareceu pronto para acabar com a distância entre nós, para pular em mim e me envolver em seu horrível abraço, mas ele não fez isso. Talvez não pudesse.

Liz se encolheu para longe quando passou por ela. Eu esperei que fosse passar direto pela porta, da mesma forma que eu atravessei Marsden, mas, o que quer que aquela coisa fosse, não era um fantasma. A mão segurou a maçaneta e girou, com mais pele se abrindo e mais luz brilhando pelas rachaduras. A porta se abriu.

A coisa se virou para mim.

— Ah, assobie e eu virei a você, meu rapaz.

E foi embora.

64

Minhas pernas estavam quase cedendo e a escada estava perto, mas eu que não ia me sentar nela com o corpo quebrado de Liz Dutton caído embaixo. Cambaleei até a sala de estar rebaixada e desabei em uma das poltronas próximas. Baixei a cabeça e chorei. Foram lágrimas de horror e histeria, mas acho que também eram lágrimas de alegria, embora eu não consiga ter certeza. Eu estava vivo. Estava em uma casa escura no fim de uma estrada particular com dois cadáveres e o que restara dos dois (Marsden estava me olhando da sacada), mas eu estava vivo.

— Três — falei. — Três cadáveres e três restos. Não esquece o Teddy.

Eu comecei a rir, mas pensei em Liz rindo do mesmo jeito antes de morrer e me obriguei a parar. Tentei pensar no que devia fazer. Decidi que a primeira coisa era fechar aquela porra de porta da frente. Aqueles dois espectros (uma palavra que aprendi, como você deve ter adivinhado, depois) me olhando não era uma coisa agradável, mas eu estava acostumado com pessoas mortas me vendo enquanto as via. O que não gostei mesmo foi da ideia de Therriault lá fora, com a luz morta brilhando pela pele se desfazendo. Eu falei para ele ir e ele foi... mas e se voltasse?

Eu passei por Liz e fechei a porta. Quando voltei, perguntei a ela o que deveria fazer. Eu não esperava resposta, mas recebi uma.

— Liga pra sua mãe.

Pensei na linha fixa no quarto do pânico, mas não ia subir aquela escada nem entrar naquele quarto. Nem por um milhão de dólares.

— Seu celular está com você, Liz?

— Está. — Parecendo desinteressada, como a maioria parece. Mas não todos; a sra. Burkett tinha vida suficiente nela para criticar os méritos artísticos do meu peru. E Donnie Grandão tentou esconder suas fotos de pornografia e tortura.

— Onde está?

— No bolso do casaco.

Fui até o corpo dela e enfiei a mão no bolso do casaco do lado direito. Encostei no cabo da arma que ela usou para acabar com a vida de Donald Marsden e puxei a mão como se tivesse tocado em alguma coisa quente. Tentei o outro e achei o celular. Eu acendi a tela.

— Qual é a senha?

— É 2665.

Eu digitei os números, digitei o código de área de Nova York e os três primeiros números da minha mãe, mas mudei de ideia e fiz outra ligação.

— Aqui é 911. Qual é a emergência?

— Estou em uma casa com duas pessoas mortas. Uma foi assassinada e a outra caiu da escada.

— Isso é piada, menino?

— Quem me dera. A mulher que caiu da escada me sequestrou e me trouxe pra cá.

— Qual é sua localização? — Agora a mulher do outro lado pareceu estar prestando atenção.

— Fica no fim de uma estrada particular perto de Renfield, senhora. Não sei quantos quilômetros nem se tem número de estrada. — E pensei no que deveria ter dito imediatamente. — É a casa de Donald Marsden. Ele é o homem que a mulher matou. Foi ela que caiu da escada. O nome dela é Liz Dutton. Elizabeth.

Ela me perguntou se eu estava bem e me mandou aguentar firme que tinham policiais a caminho. Eu aguentei firme e liguei para a minha mãe. Essa conversa foi bem mais longa e nem sempre muito clara, porque nós dois estávamos nervosos. Eu contei tudo, menos sobre a coisa da luz negra. Ela teria acreditado em mim, mas um de nós ter pesadelos já era suficiente. Eu só falei que a Liz tropeçou quando estava me perseguindo e que caiu e quebrou o pescoço.

Durante nossa conversa, Donald Marsden desceu a escada e parou perto da parede. Um morto sem a parte de cima da cabeça, a outra morta com a cabeça torta para o lado. Que par eles formavam. Eu falei que essa história era de terror, eu dei o aviso para você, mas eu consegui olhar para eles sem ficar muito consternado porque o pior horror tinha ido embora. A não ser que eu o quisesse de volta, claro. Se quisesse, voltaria.

Eu só precisava assobiar.

Depois de quinze minutos muito longos, eu comecei a ouvir as sirenes ao longe. Depois de vinte e cinco, as luzes vermelhas e azuis entraram pelas janelas. Havia pelo menos uns seis policiais, um grupo regular. Primeiro, foram só formas escuras ocupando a porta, bloqueando o que restava de luz do dia, supondo que houvesse alguma. Um perguntou onde ficavam os malditos interruptores. Outro disse "Achei", mas falou um palavrão quando não aconteceu nada.

— Tem alguém aí? — gritou outro. — Se tiver alguém aqui, se identifique!

Eu me levantei e ergui as mãos, apesar de duvidar que eles pudessem ver algo mais do que uma forma escura se movendo.

— Estou aqui! Minhas mãos estão levantadas! As luzes se apagaram! Eu sou o garoto que ligou!

Lanternas se acenderam, raios confusos de luz que procuraram e acabaram me encontrando. Um dos policiais se adiantou. Era uma mulher. Ela contornou Liz sem saber por que andou daquele jeito. Primeiro foi com a mão na arma enfiada no coldre, mas, quando me viu, ela tirou a mão dali. O que foi um alívio.

Ela se apoiou no joelho.

— Você está sozinho na casa, meu filho?

Eu olhei para Liz. Olhei para Marsden, parado bem longe da mulher que o matou. Até Teddy tinha chegado. Ele parou na porta por onde os policiais entraram, talvez atraído pela comoção, talvez só por impulso. Os Três Patetas Mortos-Vivos.

— Estou — falei. — Sou a única pessoa aqui.

65

A policial passou o braço nos meus ombros e me levou para fora. Eu comecei a tremer. Ela devia ter achado que foi por causa do ar da noite, mas claro que não foi. Ela tirou o casaco e botou nos meus ombros, mas não adiantou. Enfiei os braços nas mangas longas demais e abracei o casaco contra meu próprio corpo. Estava pesado com coisas de policial nos bolsos, mas, por mim, tudo bem. O peso deu uma sensação boa.

Havia três viaturas no pátio, duas ladeando o carrinho da Liz e uma atrás. Enquanto estávamos lá parados, outro carro chegou, esse um utilitário com CHEFE DE POLÍCIA DE RENFIELD na lateral. Devia ter sido feriado para os bêbados e motoristas que ultrapassavam o limite de velocidade, porque a maioria da força policial da cidade devia estar ali.

Outro policial saiu pela porta e se juntou à primeira.

— O que aconteceu lá dentro, garoto?

Antes que eu pudesse responder, a policial botou um dedo nos meus lábios. Eu não me importei; até que foi bom.

— Nada de perguntas, Dwight. Esse menino está em choque. Ele precisa de atendimento médico.

Um homem corpulento de camisa branca e um distintivo pendurado no pescoço, supus que o chefe de polícia, tinha saído do utilitário e chegou a tempo de ouvir essa última coisa.

— Cuida dele, Caroline. Leva ele pra ser examinado. Tem mortos confirmados?

— Tem um corpo no pé da escada. Parece uma mulher. Não tenho como confirmar se está morta, mas, pela posição da cabeça dela...

— Ah, ela está morta, sim — falei, e comecei a chorar.

— Vai, Caro — disse o chefe. — E não precisa ir até o condado. Leva ele ao MedNow. Nada de perguntas enquanto eu não chegar lá. E enquanto não tivermos um adulto responsável por ele. Pegou o nome dele?

— Ainda não — disse a policial Caroline. — Está uma loucura. Não tem luz lá dentro.

O chefe se inclinou na minha direção, as mãos nas coxas, me fazendo me sentir com cinco anos de novo.

— Qual é seu nome, meu filho?

E a história de nada de perguntas?, pensei.

— Jamie Conklin, e é a minha mãe que está vindo. O nome dela é Thia Conklin. Eu já liguei pra ela.

— Aham. — Ele se virou para Dwight. — Por que não tem luz lá dentro? Todas as casas no caminho estavam com energia.

— Não sei, chefe.

— Se apagaram quando ela estava correndo pela escada atrás de mim. Acho que foi por isso que ela caiu.

Percebi que eles queriam perguntar mais, mas ele só falou para a policial Caroline me levar. Quando ela manobrou pelo pátio e seguiu pelo caminho sinuoso, enfiei a mão no bolso da calça e encontrei o celular da Liz, apesar de não me lembrar de o ter colocado lá.

— Posso ligar pra minha mãe de novo e dizer que estamos indo pra clínica?

— Claro.

Enquanto eu fazia a ligação, me dei conta de que, se a policial Caroline descobrisse que eu estava usando o celular da Liz, eu poderia ficar encrencado. Ela poderia perguntar como eu sabia a senha da morta, e eu não conseguiria dar uma boa resposta. Mas ela não perguntou.

Minha mãe disse que estava em um Uber (que provavelmente custaria uma pequena fortuna, então era bom que a agência estava tendo lucro de novo) e que eles estavam indo bem rápido. Ela perguntou se eu estava mesmo bem. Falei que sim e que a policial Caroline estava me levando para o MedNow em Renfield, mas só para ser examinado. Ela me disse para não responder perguntas enquanto ela não chegasse, e falei que não responderia.

— Vou ligar pra Monty Grisham — disse ela. — Ele não faz esse tipo de trabalho, mas vai saber de alguém que faça.

— Eu não preciso de advogado, mãe. — A policial Caroline me olhou de lado quando falei isso. — Eu não fiz nada.

— Se a Liz matou uma pessoa e você estava junto, você precisa de um. Vai haver investigação... imprensa... sei lá. É culpa minha. Eu levei aquela filha da puta pra nossa casa. — E acrescentou com desprezo: — Liz filha da *puta*!

— Ela era boa no começo. — Era verdade, mas, de repente, me senti muito, muito cansado. — Te vejo quando você chegar.

Encerrei a ligação e perguntei à policial Caroline quanto tempo levaria para chegarmos ao médico. Ela disse vinte minutos. Olhei para trás, pela grade que isolava o banco de trás, com uma certeza repentina de que ela estaria ali. Ou, muito pior, Therriault. Mas estava vazio.

— Estamos só eu e você aqui, Jamie — disse a policial Caroline. — Não se preocupe.

— Não estou preocupado — falei, mas tinha uma coisa com a qual eu *tinha* que me preocupar, e graças a Deus eu lembrei, senão eu e a minha mãe estaríamos muito encrencados. Eu encostei a cabeça na janela e me virei meio de costas para ela. — Vou tirar um cochilo.

— Boa ideia. — Havia um sorriso na voz dela.

Eu cochilei *mesmo*. Mas primeiro liguei o telefone da Liz, escondendo-o com o corpo, e apaguei a gravação que ela tinha feito de quando passei a história de *O segredo de Roanoke* para a minha mãe. Se pegassem o celular e descobrissem que não era meu, eu inventaria alguma coisa. Ou diria que não lembrava, o que seria mais seguro. Mas eles não podiam ouvir aquela gravação.

De jeito nenhum.

66

O chefe e dois outros policiais apareceram no MedNow uma hora depois que a policial Caroline e eu chegamos lá. Tinha também um cara de terno que se apresentou como promotor público do condado. Um médico me examinou e disse que eu estava bem, com a pressão arterial um pouco alta, mas, considerando o que eu tinha passado, não era surpreendente. Ele tinha certeza de que eu estaria normal de manhã e me declarou um "adolescente normal e saudável". Por acaso, eu era um adolescente normal e saudável que via gente morta, mas não falei isso.

Eu e os policiais e o promotor fomos para a sala de descanso dos funcionários para esperar minha mãe, e, assim que ela chegou, as perguntas começaram. Naquela noite, nós ficamos no Renfield Stardust Motel, e na manhã seguinte houve mais perguntas. Foi minha mãe que contou para eles que ela e Elizabeth Dutton tiveram um relacionamento que terminou quando minha mãe descobriu que Liz estava envolvida no tráfico de drogas. Fui eu que contei que Liz me pegou depois do treino de tênis e me levou para Renfield, onde queria roubar um carregamento enorme de Oxy da casa do sr. Marsden. Ele disse para ela onde as drogas estavam e ela o matou, ou porque não encontrou a quantidade que esperava ou por causa das outras coisas que encontrou naquele quarto. As fotos.

— Tem uma coisa que não entendi — disse a policial Caroline quando devolvi o casaco dela, que fiquei usando. Minha mãe olhou para ela de um jeito cauteloso de mãe pronta para proteger a cria, mas a policial Caroline não viu. Ela estava olhando para mim. — Ela amarrou o cara...

— Ela disse que o *deteve*. Foi essa palavra que ela usou. Acho que porque era policial.

— Certo, ela o deteve. E, de acordo com o que ela te contou, e também de acordo com o que encontramos no andar de cima, ela bateu um pouco nele. Mas não tanto.

— Você pode ir direto ao ponto? — disse a minha mãe. — Meu filho passou por uma experiência horrível e está exausto.

A policial Caroline a ignorou. Ela estava me olhando, e seus olhos estavam brilhando muito.

— Ela poderia ter feito bem mais, poderia tê-lo torturado até conseguir o que queria, mas o que ela fez foi ir até Nova York, te sequestrar e voltar com você. Por que ela fez isso?

— Não sei.

— Você andou de carro com ela por duas horas e ela não falou?

— Ela só disse que estava feliz em me ver. — Eu não conseguia lembrar se ela tinha mesmo dito isso, então acho que, tecnicamente, foi mentira, mas não pareceu. Pensei em todas aquelas noites no sofá, sentado no meio das duas vendo *The Big Bang Theory*, nós três morrendo de rir, e comecei a chorar. E foi isso que nos tirou de lá.

Quando estávamos no motel com a porta fechada e trancada, minha mãe disse:

— Se perguntarem de novo, diz que talvez ela estivesse querendo te levar junto quando fosse para o oeste. Você pode fazer isso?

— Posso — falei. Questionando se talvez a ideia estivesse na cabeça da Liz o tempo todo. Não era uma coisa boa de pensar, mas era melhor do que o que eu *tinha* pensado (e ainda penso até hoje): que ela planejava me matar.

Eu não dormi no quarto adjacente. Dormi no sofá do quarto da minha mãe. Sonhei que estava andando em uma estrada deserta de interior sob a lua minguante. *Não assobie, não assobie*, eu disse para mim mesmo, mas assobiei. Não consegui me controlar. Eu estava assobiando "Let It Be". Lembro claramente. Eu não tinha passado das primeiras seis ou oito notas quando ouvi passos atrás de mim.

Acordei com as mãos na boca, como se quisesse segurar um grito. Já acordei assim algumas vezes nos anos seguintes, e nunca é de gritar que estou com medo. Estou com medo de acordar assobiando e a luz morta estar lá.

Com os braços esticados para me abraçar.

67

Tem muita coisa ruim em ser adolescente, olha só. Espinhas, o sofrimento de escolher as roupas certas para ninguém rir de você e o mistério das garotas são só três delas. O que descobri depois da minha ida à casa do Donald Marsden (do meu sequestro, para ser bem direto) foi que também há vantagens.

Uma delas é não ter que aguentar um monte de repórteres e câmeras de televisão na investigação, porque não precisei testemunhar presencialmente. Dei um depoimento em vídeo, com o advogado que Monty Grisham indicou de um lado e a minha mãe do outro. A imprensa sabia quem eu era, mas meu nome não apareceu nunca porque eu era aquela coisa mágica: menor de idade. O pessoal da escola descobriu (o pessoal da escola quase sempre descobria tudo), mas ninguém encheu meu saco. Eu só recebi respeito. Não precisei descobrir como falar com as garotas porque elas iam até meu armário e falavam comigo.

O melhor de tudo foi que não houve problema com meu celular... que era, na verdade, o celular da Liz. Ele não existia mais mesmo. Minha mãe o jogou no incinerador, *bon voyage*, e me disse para falar que perdi se alguém perguntasse. Ninguém perguntou. Quanto ao motivo para Liz ter ido a Nova York me buscar, a polícia chegou sozinha à conclusão que a minha mãe tinha sugerido: Liz queria um garoto com ela quando fosse para o oeste, talvez achando que uma mulher viajando com um garoto fosse atrair menos atenção. Ninguém pareceu considerar a possibilidade de que eu tentaria fugir, ou pelo menos gritar pedindo ajuda quando parássemos para botar gasolina e comer na Pensilvânia ou Indiana ou Montana. Claro que eu não faria isso. Eu seria a vítima dócil de sequestro, assim como Elizabeth Smart. Porque eu era criança.

Os jornais alardearam a notícia por uma semana, mais ou menos, principalmente os tabloides, em parte porque Marsden era um "chefão das drogas", mas mais por causa das fotos encontradas no quarto do pânico. E Liz saiu da história como uma espécie de heroína, por mais estranho que possa parecer. EX-POLICIAL MORRE DEPOIS DE MATAR CHEFÃO DA TORTURA PORNÔ, declarou o *Daily News*. Não houve menção a ela ter perdido o emprego como resultado de uma investigação da Divisão de Assuntos Internos e de um teste positivo para drogas, mas o fato de ela ter sido fundamental na localização da última bomba do Thumper antes que pudesse matar várias pessoas *foi* mencionado. O *Post* devia ter enfiado um repórter na casa de Marsden ("Baratas entram em qualquer buraco", disse minha mãe), ou talvez tivessem uma foto da casa de Renfield no arquivo, porque a manchete dizia DENTRO DA CASONA DOS HORRORES DO DONNIE GRANDÃO. Minha mãe riu dessa, dizendo que a compreensão do *Post* sobre o uso de aumentativo era um ótimo paralelo para a abordagem que davam à política americana.

— Não é casona o aumentativo de casa — disse ela quando eu perguntei. — É casarão.

Tudo bem, mãe. Você que sabe.

68

Em pouco tempo, outra notícia tirou o Casarão dos Horrores do Donnie Grandão das primeiras páginas dos tabloides e minha fama na escola passou. Foi como Liz disse sobre Chet Atkins, eles esquecem rápido. Eu me vi novamente de frente para o problema de falar com garotas em vez de esperar que elas fossem até meu armário, os olhos com rímel arregalados e os lábios cheios de gloss repuxados, para falar comigo. Eu joguei tênis e tentei entrar na peça da turma. Acabei conseguindo um papel só com duas falas, mas me dediquei de coração a elas. Joguei video games com meus amigos. Levei Mary Lou Stein ao cinema e a beijei. Ela retribuiu o beijo, o que foi excelente.

Hora da montagem, com páginas de calendário passando e tudo. Chegou 2016 e depois 2017. Às vezes, eu sonhava que estava naquela estrada de interior e acordava com as mãos sobre a boca, pensando *Eu assobiei? Meu Deus, eu assobiei?* Mas esses sonhos aconteciam com menos frequência. Às vezes, eu via pessoas mortas, mas não com muita frequência, e elas não eram assustadoras. Uma vez, minha mãe perguntou se eu ainda as via, e falei que quase nunca, sabendo que a faria se sentir melhor. Era uma coisa que eu queria, porque ela também passou por muita coisa ruim e eu sabia.

— Talvez esteja passando agora que você está crescendo — disse ela.

— Talvez — concordei.

Isso nos leva a 2018, com nosso herói Jamie Conklin com mais de um metro e oitenta, já com um cavanhaque (que minha mãe abominava), aceito na NYU e quase com idade para votar. Eu *teria* idade para votar quando chegassem as eleições em novembro.

Eu estava no meu quarto, estudando para as provas finais, quando meu celular tocou. Era minha mãe, ligando de outro Uber, desta vez a caminho de Tenafly, onde o tio Harry estava morando.

— É pneumonia de novo — disse ela —, e acho que ele não vai melhorar desta vez, Jamie. Eles me pediram pra ir, e normalmente só fazem isso quando é coisa muito séria. — Ela fez uma pausa e disse: — Mortal.

— Vou o mais rápido que puder.

— Não precisa fazer isso.

O subtexto era que eu nunca o conheci direito mesmo, ao menos não quando ele era um cara inteligente construindo uma carreira para si e para a irmã no difícil mundo editorial de Nova York. Pode ser um mundo muito difícil mesmo. Agora que eu também estava trabalhando no escritório, só por algumas horas por semana, praticamente só no arquivo, eu sabia que era verdade. E era verdade que eu só tinha lembranças vagas de um cara inteligente que deveria ter continuado inteligente por bem mais tempo, mas não era por ele que eu ia.

— Eu vou de ônibus. — Era uma coisa que eu podia fazer com facilidade, porque eu sempre fui de ônibus para Nova Jersey na época que ir de Uber ou de Lyft estava fora do nosso orçamento.

— Suas provas... você precisa estudar pras provas finais...

— Livros são magia portátil. Li isso em algum lugar. Vou levá-los comigo. Nos vemos lá.

— Pode ser que a gente tenha que passar a noite. Tem certeza?

Eu disse que sim.

Não sei exatamente onde eu estava quando o tio Harry morreu. Talvez em Nova Jersey, talvez ainda atravessando o Hudson, talvez enquanto eu ainda conseguia ver o Yankee Stadium da janela suja de bosta de passarinho do ônibus. Só sei que a minha mãe estava me esperando do lado de fora do residencial, o último dele, em um banco debaixo da sombra de uma árvore. Ela estava com os olhos secos, mas estava fumando um cigarro, e eu não a via fazer isso havia muito tempo. Ela me deu um abraço apertado e eu a abracei igual. Senti o cheiro do perfume dela, aquele cheiro antigo e doce de La Vie est Belle, que sempre me levava de volta à infância. Àquele garotinho que achava que o peru verde feito contornando a mão era do caralho. Eu nem precisei perguntar.

— Menos de dez minutos antes de eu chegar aqui — disse ela.

— Você está bem?

— Estou. Triste, mas também aliviada de finalmente ter acabado. Ele durou bem mais do que a maioria das pessoas que sofrem do que ele tinha. Eu estava sentada aqui pensando em três aéreas, seis rasteiras. Sabe o que é?

— Acho que sei, sim.

— Os garotos não queriam me deixar jogar porque eu era menina, mas o Harry dizia que, se eles não me deixassem jogar, ele também não jogava. E ele era popular. Sempre o mais popular. Então eu era, como dizem, a única garota em campo.

— Você era boa?

— Eu era incrível — disse ela e riu. Em seguida, secou um dos olhos. Chorando, afinal. — Olha, eu preciso conversar com a sra. Ackerman, a mandachuva aqui, e assinar uns papéis. Depois, tenho que ir até o quarto dele e ver se tem alguma coisa que preciso pegar logo. Imagino que não.

Senti uma pontada de alarme.

— Ele não está...?

— Não, querido. Tem uma funerária que usam aqui. Vou fazer os preparativos amanhã pra levá-lo pra Nova York e... sabe como é, as coisas finais. — Ela fez uma pausa. — Jamie?

Eu olhei para ela.

— Você... não está vendo ele, está?

Eu sorri.

— Não, ma.

Ela segurou meu queixo.

— Quantas vezes eu já falei pra você não me chamar assim? Quem fala ma?

— Ovelhinhas — falei, e acrescentei: — Tá, tá, tá.

Isso a fez rir.

— Me espera, querido. Não vai demorar.

Ela entrou e eu olhei para o tio Harry, que estava parado a menos de três metros de mim. Ele estava lá o tempo todo, com o pijama que estava usando quando morreu.

— Oi, tio Harry — falei.

Não houve resposta. Mas ele estava olhando para mim.

— Você ainda tem Alzheimer?

— Não.

— Então está tudo bem agora?

Ele me olhou com um leve toque de humor.

— Acho que sim, se estar morto encaixar na sua definição de bem.

— Ela vai sentir saudade de você, tio Harry.

Não houve resposta, mas não esperei que houvesse porque não foi uma pergunta. Mas eu tinha uma. Ele provavelmente não sabia a resposta, mas tem um velho ditado que diz que quem não chora não mama.

— Você sabe quem é meu pai?

— Sei.

— Quem? Quem é?

— Sou eu — disse o tio Harry.

69

Estou quase terminando agora (e lembra quando eu achei que trinta páginas era muito!), mas ainda não terminei, então não desiste de mim antes de ler isto:

Meus avós, meus *únicos* avós, no fim das contas, morreram a caminho de uma festa de Natal. Um cara que encheu a cara de alegria natalina desviou por três pistas de uma rodovia de quatro e bateu de frente neles. O bêbado sobreviveu, como acontece tantas vezes. Meu tio (que também era meu pai, no fim das contas) estava em Nova York quando recebeu a notícia, visitando *várias* festas de Natal, batendo papo com editores, agentes e escritores. A agência dele era novinha na época, e o tio Harry (querido papai!) era um cara na floresta cuidando de uma pilha de gravetos pegando fogo, torcendo para virar uma fogueira.

Ele voltou para Arcola, uma cidadezinha em Illinois, para o enterro. Depois que acabou, houve uma recepção na casa dos Conklin. Lester e Norma eram queridos e muita gente foi. Algumas levaram comida. Algumas levaram bebida, que é a madrinha de muitos bebês surpresa. Thia Conklin, recém-saída da faculdade e trabalhando no primeiro emprego em uma firma de contabilidade, bebeu muito. O irmão dela também. Ô-ôu, né?

Depois que todo mundo volta para casa, Harry a encontra no quarto, deitada na cama de camisola, chorando muito. Harry se deita ao lado dela e a toma nos braços. Só como consolo, sabe, mas um consolo leva a outro. Só foi aquela vez, mas uma vez basta, e seis semanas depois Harry, de volta a Nova York, recebe um telefonema. Não muito tempo depois, minha mãe grávida se junta à empresa.

A Agência Literária Conklin teria tido sucesso naquele campo difícil e competitivo sem ela ou a pilha de gravetos e folhas do meu pai/tio teria se apagado em um filete de fumaça antes de ele conseguir acrescentar pedaços maiores de madeira? Difícil dizer. Quando a coisa decolou, eu estava deitado em um bercinho, fazendo xixi em uma Pampers e balbuciando gugu. Mas ela era boa no trabalho, isso eu sei. Se não fosse, a agência teria afundado depois, quando o mercado financeiro despencou.

Tenho que dizer que existem muitos mitos falsos sobre bebês nascidos de incesto, principalmente quando envolve pai e filha e irmã e irmão. Sim, pode haver problemas médicos e, sim, as chances disso são um pouco maiores quando envolve incesto, mas a ideia de que a maioria desses bebês nasce com mente fraca, um olho ou pés sem dedos? Porra nenhuma. Eu descobri que um dos defeitos mais comuns nos bebês de relacionamentos incestuosos são dedos dos pés ou das mãos colados. Eu tenho cicatrizes na parte de dentro do segundo e terceiro dedo da mão esquerda, de um procedimento médico para separá-los quando eu era pequeno. Na primeira vez que perguntei sobre as cicatrizes, eu devia ter uns quatro ou cinco anos, minha mãe me disse que os médicos fizeram antes de ela me levar para casa do hospital.

— Molezinha — disse ela.

E tem também a outra coisa com que eu nasci, que pode ter alguma coisa a ver com o fato de que, de vez em quando, sob influência da dor do luto e do álcool, meus pais se aproximaram mais do que irmãos e irmãs deviam fazer. Ou talvez ver gente morta não tenha nada a ver com isso. Pais que não conseguem ter ritmo nem tocando a campainha podem produzir um prodígio do canto; analfabetos podem produzir um grande escritor. Às vezes, o talento vem do nada, ou é o que parece.

Só que, espera só, tem mais uma coisa.

Essa história toda é ficção.

Não sei como Thia e Harry se tornaram pais de um bebezinho chamado James Lee Conklin porque não perguntei nenhum outro detalhe ao tio Harry. Ele teria me contado, os mortos não conseguem mentir, como acho que já estabelecemos. Mas eu não quis saber. Depois que ele disse aquelas duas palavra, *sou eu*, eu me virei e entrei no residencial para encontrar minha mãe. Ele não foi atrás, e eu nunca mais o vi. Achei que ele talvez fosse ao funeral, ou que fosse aparecer na cerimônia de enterro, mas ele não apareceu.

No caminho de volta para a cidade (no ônibus, como antigamente), minha mãe me perguntou se havia alguma coisa errada. Eu disse que não, que eu só estava tentando me acostumar com a ideia de que o tio Harry tinha morrido mesmo.

— Parece com quando perdi meus dentes de leite — falei. — Tem um buraco em mim que eu fico sentindo.

— Eu sei — disse ela, me abraçando. — Eu sinto a mesma coisa. Mas não estou triste. Eu não esperava estar e não estou. Porque ele já tinha ido embora havia muito tempo.

Foi bom ser abraçado. Eu amava a minha mãe e ainda a amo, mas menti para ela naquele dia, e não só por omissão. Não foi como *perder* um dente; o que descobri foi como um dente novo nascendo, para o qual não havia espaço na minha boca.

Algumas coisas fazem a história que eu acabei de contar parecer mais provável. Lester e Norma Conklin *foram* mortos por um motorista bêbado enquanto estavam voltando de uma festa de Natal. Harry *voltou* a Illinois para o funeral; eu encontrei um artigo no *Record Herald* de Arcola que diz que ele fez o elogio fúnebre. Thia Conklin *largou* o emprego para ir a Nova York ajudar o irmão na agência literária nova dele no começo do ano seguinte. E James Lee Conklin *fez* sua estreia no mundo uns nove meses depois do funeral, no Lenox Hill Hospital.

Então, tá, tá, tá, tudo bem, pode ter sido como eu contei. Tem lógica suficiente para que seja assim. Mas também pode ter sido de outro jeito, um do qual eu gostaria bem menos. O estupro de uma jovem que bebeu até ficar inconsciente, por exemplo, o tal ato cometido pelo irmão mais velho, bêbado e cheio de tesão. O motivo para eu não ter perguntado foi simples: eu não queria saber. Se eu me pergunto se eles discutiram fazer um aborto? Às vezes. Se estou preocupado de ter herdado mais do meu tio/pai do que as covinhas que aparecem quando eu sorrio ou o fato de eu estar com os primeiros fios brancos no cabelo na tenra idade de vinte e dois anos? Para dizer abertamente, se estou com medo de começar a perder a sanidade na ainda tenra idade de trinta, trinta e cinco ou quarenta anos? Sim. Claro que estou. De acordo com a internet, meu pai-tio sofria de doença de Alzheimer familiar de início precoce. Ela está ligada aos genes PSEN1 e PSEN2, e, portanto, existe um exame para isso: é só cuspir em um tubo de ensaio e esperar a resposta. Acho que vou fazer.

Depois.

Mas tem uma coisa engraçada: ao olhar para essas páginas, vejo que a escrita foi melhorando ao longo da história. Não estou querendo dizer que estou no nível de um Faulkner nem de um Updike; o que *estou* dizendo foi que melhorei praticando, que acho que é o que acontece com a maioria das coisas da vida. Só vou ter que esperar que fique melhor e mais forte de outra formas quando encontrar novamente a coisa que pegou Therriault. Porque eu vou encontrar. Não a vejo desde aquela noite na casa de Marsden, quando o que Liz viu naquele espelho a deixou louca, mas aquilo ainda está esperando. Eu sinto. Sei, na verdade, apesar de não saber o que é.

Não importa. Eu não vou viver minha vida com a pergunta pendente se vou ou não perder a sanidade na meia-idade, e também não vou vivê-la com a sombra daquela coisa pairando acima de mim. Já tirou a cor de dias demais. O fato de eu ser filho de incesto parece risivelmente sem importância em comparação à casca preta de Therriault com a luz morta brilhando pelas rachaduras na pele.

Eu li muito nos anos desde que aquela coisa me pediu uma nova competição, outro Ritual de Chüd, e descobri muitas superstições e lendas antigas estranhas, coisas que nunca entraram nos livros de Roanoke de Regis Thomas nem no *Drácula* de Stoker. E, embora haja muitas coisas relacionadas à possessão dos vivos por demônios, eu ainda não encontrei uma que fale sobre uma criatura capaz de possuir os mortos. O mais perto que cheguei são histórias sobre fantasmas malignos, e não é a mesma coisa. Então, eu não tenho ideia de com que tenho que lidar. Só sei que preciso lidar. Vou assobiar, a coisa virá, vamos nos juntar em um abraço mútuo em vez da coisa de morder línguas do ritual, e depois... bom. Depois a gente vê, né?

É, a gente vê. A gente vê.

Depois.

1ª EDIÇÃO [2021] 3 reimpressões

ESTA OBRA FOI COMPOSTA PELA ABREU'S SYSTEM EM WHITMAN
E IMPRESSA EM OFSETE PELA LIS GRÁFICA SOBRE PAPEL PÓLEN SOFT DA
SUZANO S.A. PARA A EDITORA SCHWARCZ EM FEVEREIRO DE 2022

A marca FSC® é a garantia de que a madeira utilizada na fabricação do papel deste livro provém de florestas que foram gerenciadas de maneira ambientalmente correta, socialmente justa e economicamente viável, além de outras fontes de origem controlada.